齊白石全集

第三卷:繪畫

齊白石

凡例

一　《齊白石全集》分雕刻、繪畫、篆刻、書法、詩文五部分，共十卷。

二　本卷為盛期繪畫。收入一九二八年至三十年代初期繪畫作品三〇二件，作品按年代順序排列。

三　本卷内容分為三部分：一概述，二圖版，三著録、注釋。

目録

目録

齊白石盛期的繪畫 ……… 郎紹君 2

繪畫(一九二八年—三十年代初期)

一 漁翁 一九二八年 …………………… 1
二 得財圖 一九二八年 ………………… 2
三 得財 約一九二八年 ………………… 3
四 白衣大士 一九二八年 ……………… 4
五 柳橋獨步 一九二八年 ……………… 5
六 山水 一九二八年 …………………… 6
七 三壽圖 一九二八年 ………………… 7
八 白蕉山居 一九二八年 ……………… 8
九 雪山策杖 一九二八年 ……………… 9
一〇 青松白屋圖 一九二八年 ………… 10
一一 溪橋春柳圖 一九二八年 ………… 11
一二 瀑布圖 一九二八年 ……………… 12
一三 枇杷 一九二八年 ………………… 13
一四 松鷹圖 一九二八年 ……………… 14
一五 仙鶴 一九二八年 ………………… 15
一六 香遠益清圖 一九二八年 ………… 16
一七 梅花小鳥 一九二八年 …………… 17
一八 酒蟹圖 一九二八年 ……………… 18
一九 梅石八哥 一九二八年 …………… 19
二〇 梅花 約一九二八年 ……………… 20
二一 紅梅 約一九二八年 ……………… 21
二二 山溪蝦戲圖 一九二九年 ………… 22
二三 鴛鴦荷花 一九二九年 …………… 23
二四 蓮蓬翠鳥 一九二九年 …………… 24
二五 菊花群鷄 一九二九年 …………… 25
二六 藤蘿蜜蜂 一九二九年 …………… 26
二七 游魚圖 一九二九年 ……………… 27
二八 海棠(花卉條屏之一) 一九二九年 … 28
二九 杏花(花卉條屏之二) 一九二九年 … 29
三〇 梅花(花卉條屏之三) 一九二九年 … 30
三一 香滿筠籃 一九二九年 …………… 31
三二 松鷹圖 一九二九年 ……………… 32
松鷹圖(局部) ……………………… 33
三三 豆莢 一九二九年 ………………… 34
三四 紅梅(扇面) 約一九二九年 ……… 35
三五 柳牛圖 一九二九年 ……………… 36
三六 柳塘游鴨 一九二九年 …………… 37
三七 柳岸行吟圖 一九二九年 ………… 38
三八 放風箏(扇面) 一九二九年 ……… 39
三九 愁過窄道圖 一九二九年 ………… 40
四〇 秋水鸕鷀 一九二九年 …………… 41
四一 無量壽佛 一九二九年 …………… 42
四二 蝦(扇面) 一九二九年 …………… 43
四三 雨後雲山圖 約二十年代晚期 …… 44
四四 却飲圖 約二十年代晚期 ………… 46
四五 無魚鈎留圖 約二十年代晚期 …… 47
四六 石村圖 約二十年代晚期 ………… 48
四七 白石老屋 約二十年代晚期 ……… 49
四八 柏屋圖 約二十年代晚期 ………… 50
四九 孤舟 約二十年代晚期 …………… 51
五〇 悟説山舍圖 約二十年代晚期 …… 52
五一 山水 約二十年代晚期 …………… 54
五二 雨歸圖 約二十年代晚期 ………… 55
五三 柳樹山石 約二十年代晚期 ……… 56
五四 春山風柳圖 約二十年代晚期 …… 57
五五 新篁竹鷄 約二十年代晚期 ……… 58
五六 蘆雁 約二十年代晚期 …………… 59
五七 江岸夕照 約二十年代晚期 ……… 60
五八 風竹山鷄 約二十年代晚期 ……… 62
五九 菊花八哥 約二十年代晚期 ……… 63
六〇 家鷄 約二十年代晚期 …………… 64

六一　籬菊圖　約二十年代晚期　…………　65
六二　秋海棠　約二十年代晚期　…………　66
六三　多子圖　約二十年代晚期　…………　67
六四　稻草鷄雛　約二十年代晚期　………　68
六五　稻草鷄雛　約二十年代晚期　………　69
六六　竹笋(雜畫册頁之一)　約二十年代晚期　70
六七　魚草(雜畫册頁之二)　約二十年代晚期　71
六八　蠶桑(雜畫册頁之三)　約二十年代晚期　72
六九　水仙　約二十年代晚期　……………　73
七〇　墨梅　約二十年代晚期　……………　74
七一　螃蟹　約二十年代晚期　……………　75
七二　紫藤蜜蜂　約二十年代晚期　………　76
七三　虎踞圖　約二十年代晚期　…………　77
七四　墨牡丹　約二十年代晚期　…………　78
七五　荔枝蜻蜓　約二十年代晚期　………　79
七六　松樹　約二十年代晚期　……………　80
七七　墨梅　約二十年代晚期　……………　81
七八　絲瓜青蛙　約二十年代晚期　………　82
七九　絲瓜蜜蜂　約二十年代晚期　………　83
八〇　山溪群蝦　約二十年代晚期　………　84
山溪群蝦(局部)　…………………　85
八一　雙鴨　約二十年代晚期　……………　86
雙鴨(局部)　……………………　87
八二　荷塘游鴨　約二十年代晚期　………　88
八三　紅梅　約二十年代晚期　……………　89
八四　螃蟹　約二十年代晚期　……………　90
八五　佛手　約二十年代晚期　……………　91
八六　魚樂圖　約二十年代晚期　…………　92
八七　秋聲　約二十年代晚期　……………　93
八八　蝴蝶蘭　約二十年代晚期　…………　94
八九　公鷄　約二十年代晚期　……………　95
九〇　紫藤　約二十年代晚期　……………　96
九一　牡丹　約二十年代晚期　……………　97
九二　牡丹　約二十年代晚期　……………　98
九三　三友圖　約二十年代晚期　…………　99
九四　葡萄松鼠　約二十年代晚期　…　100
九五　松樹八哥　約二十年代晚期　…　101
九六　籠中八哥　約二十年代晚期　…　102
九七　紅梅八哥　約二十年代晚期　…　103
九八　照水芙蓉　約二十年代晚期　…　104
九九　紫藤　約二十年代晚期　………　105
一〇〇　達摩　約二十年代晚期　………　106
一〇一　藤蘿　一九三〇年　……………　107
一〇二　松鷹圖　一九三〇年　…………　108
一〇三　清白傳家圖　一九三〇年　……　109
一〇四　藤蘿　一九三〇年　……………　110
一〇五　芙蓉小魚　一九三〇年　………　111
一〇六　松樹　一九三〇年　……………　112
一〇七　雜畫册(册頁之一)　一九三〇年　113
一〇八　雜畫册(册頁之二)　一九三〇年　114
一〇九　雜畫册(册頁之三)　一九三〇年　115
一一〇　雜畫册(册頁之四)　一九三〇年　116
一一一　雜畫册(册頁之五)　一九三〇年　117
一一二　雜畫册(册頁之六)　一九三〇年　118
一一三　雜畫册(册頁之七)　一九三〇年　119
一一四　雜畫册(册頁之八)　一九三〇年　120
一一五　雜畫册(册頁之九)　一九三〇年　121
一一六　雜畫册(册頁之十)　一九三〇年　122
一一七　雜畫册(册頁之十一)　一九三〇年　123
一一八　綬帶枇杷　一九三〇年　………　124
一一九　墨梅圖　一九三〇年　…………　125
一二〇　壽桃　一九三〇年　……………　126
一二一　穀穗老鼠　約一九三〇年　……　127
一二二　山間松屋　一九三〇年　………　128
一二三　潑墨山水　約一九三〇年　……　129
一二四　湖岸遠帆圖　約一九三〇年　…　130
湖岸遠帆圖(局部)　…………　131
一二五　山水　一九三〇年　……………　132
一二六　煉丹圖　約一九三〇年　………　134
一二七　鐘馗搔背圖　一九三〇年　……　135

一二八　夜讀圖　一九三〇年　……………… 136
一二九　送子從師圖　約一九三〇年　…… 137
一三〇　老當益壯　約一九三〇年　……… 138
一三一　人罵我我也罵人　約一九三〇年 139
一三二　送學圖(人物册頁之一)　約一九三〇年 140
一三三　送學圖(人物册頁之二)　約一九三〇年 141
一三四　盜甕(人物册頁之三)　約一九三〇年 142
一三五　終南山進士像(人物册頁之四)
約一九三〇年　……………………… 143
一三六　也應歇歇(人物册頁之五)
約一九三〇年　……………………… 144
一三七　還山讀書圖(人物册頁之六)
約一九三〇年　……………………… 145
一三八　梨花(花果四條屏之一)　一九三〇年 146
一三九　玉蘭(花果四條屏之二)　一九三〇年 147
一四〇　菊花(花果四條屏之三)　一九三〇年 148
一四一　荔枝(花果四條屏之四)　一九三〇年 149
一四二　大喜大利圖　一九三一年　……… 150
大喜大利圖(局部)　…………… 151
一四三　梅影詩意圖　一九三一年　……… 152
一四四　紫藤雙蜂　一九三一年　………… 153
一四五　牽牛花　一九三一年　…………… 154
一四六　雛鷹圖　一九三一年　…………… 155
一四七　朝陽(山水册頁之一)　一九三一年 156
一四八　蒼海烟帆(山水册頁之二)　一九三一年 157
一四九　鸕鷀(山水册頁之三)　一九三一年 158
一五〇　荷塘(山水册頁之四)　一九三一年 159
一五一　荒山殘雪(山水册頁之五)　一九三一年 160
一五二　雨後(山水册頁之六)　一九三一年 161
一五三　松林(山水册頁之七)　一九三一年 162
一五四　陽羡垂釣(山水册頁之八)　一九三一年 163
一五五　枯樹寒鴉(山水册頁之九)　一九三一年 164
一五六　放牛圖(山水册頁之十)　一九三一年 165
一五七　月明人静時候(山水册頁之十一)
一九三一年　………………………… 166
一五八　柳浦秋晴(山水册頁之十二)　一九三一年 167
一五九　風順波清　一九三一年　………… 168
一六〇　乘風破浪　一九三一年　………… 169
一六一　日暮歸鴉　一九三一年　………… 170
日暮歸鴉(局部)　……………… 171
一六二　借山吟館圖(山水條屏之一)
一九三二年　………………………… 172
一六三　木葉泉聲(山水條屏之二)　一九三二年 173
一六四　紅日白帆(山水條屏之三)　一九三二年 174
一六五　清風萬里(山水條屏之四)　一九三二年 175
一六六　緑天野屋(山水條屏之五)　一九三二年 176
一六七　荷亭清暑(山水條屏之六)　一九三二年 177
一六八　雨後雲山(山水條屏之七)　一九三二年 178
一六九　飛鳥暮還(山水條屏之八)　一九三二年 179
一七〇　岱廟圖(山水條屏之九)　一九三二年 180
一七一　一白高天下(山水條屏之十)
一九三二年　………………………… 181
一七二　夢中蜀景(山水條屏之十一)
一九三二年　………………………… 182
一七三　月圓石壽(山水條屏之十二)
一九三二年　………………………… 183
一七四　竹溪群鴨(山水册頁之一)
約一九三二年　……………………… 184
一七五　垂柳帆影(山水册頁之二)
約一九三二年　……………………… 185
一七六　酒醉網乾(山水册頁之三)
約一九三二年　……………………… 186
一七七　遠山溪樹(山水册頁之四)
約一九三二年　……………………… 187
一七八　牧童紙鳶(山水册頁之五)
約一九三二年　……………………… 188
一七九　一犁春雨(山水册頁之六)
約一九三二年　……………………… 189
一八〇　蕉葉樓居(山水册頁之七)
約一九三二年　……………………… 190

一八一　兩岩含月(山水册頁之八)
約一九三二年 ········· 191
一八二　菩提坐佛　一九三二年 ········· 192
一八三　一葦渡江圖　一九三一年—一九三二年 193
一八四　鐘馗搔背圖　約三十年代初期 ··· 194
一八五　游蝦剪刀草　一九三二年 ········· 195
一八六　群蟹圖　一九三二年 ········· 196
一八七　紫藤雙蜂(扇面)　一九三二年 ······ 197
一八八　松鼠　一九三二年 ········· 198
一八九　扁豆　一九三二年 ········· 199
一九〇　柳溪垂釣圖　一九三二年 ········· 200
一九一　群蝦圖　一九三二年 ········· 201
一九二　杏花青蛾(花卉草蟲册頁之一)
一九三二年 ········· 202
一九三　梨花蚱蜢(花卉草蟲册頁之二)
一九三二年 ········· 203
一九四　雁來紅蝴蝶(花卉草蟲册頁之三)
一九三二年 ········· 204
一九五　蘭花甲蟲(花卉草蟲册頁之四)
一九三二年 ········· 205
一九六　稻葉蝗蟲(花卉草蟲册頁之五)
一九三二年 ········· 206
一九七　桃花灰蛾(花卉草蟲册頁之六)
一九三二年 ········· 207
一九八　豆莢蟋蟀(花卉草蟲册頁之七)
一九三二年 ········· 208
一九九　十字花螻蛄(花卉草蟲册頁之八)
一九三二年 ········· 209
二〇〇　水草雙蝦(花卉草蟲册頁之九)
一九三二年 ········· 210
二〇一　稻穗螳螂(花卉草蟲册頁之十)
一九三二年 ········· 211
二〇二　樹葉黄蜂(花卉草蟲册頁之十一)
一九三二年 ········· 212
二〇三　青草蝗蟲(花卉草蟲册頁之十二)
一九三二年 ········· 213
二〇四　海棠蜻蜓　一九三二年 ········· 214
二〇五　海棠　一九三二年 ········· 215
二〇六　海棠麻雀　一九三二年 ········· 216
二〇七　雙壽　一九三二年 ········· 217
二〇八　鴨子芙蓉　約一九三二年 ········· 218
鴨子芙蓉(局部) ········· 219
二〇九　松鷹圖　一九三三年 ········· 220
二一〇　竪石山鷄　一九三三年 ········· 222
二一一　菊花(扇面)　一九三三年 ········· 223
二一二　菊花蟋蟀　約一九三三年 ········· 224
二一三　菊花　一九三三年 ········· 225
二一四　蓮池書院圖　一九三三年 ········· 226
蓮池書院圖(局部) ········· 227
二一五　葛園耕隱圖　一九三三年 ········· 228
二一六　焚香圖　一九三三年 ········· 229
二一七　穀穗螞蚱(花鳥草蟲册頁之一)
約三十年代初期 ········· 230
二一八　豆莢天牛(花鳥草蟲册頁之二)
約三十年代初期 ········· 231
二一九　油燈黄蛾(花鳥草蟲册頁之三)
約三十年代初期 ········· 232
二二〇　蘿蔔蟋蟀(花鳥草蟲册頁之四)
約三十年代初期 ········· 233
二二一　紫藤飛蛾(花鳥草蟲册頁之五)
約三十年代初期 ········· 234
二二二　青草螳螂(花鳥草蟲册頁之六)
約三十年代初期 ········· 235
二二三　李鐵拐　約三十年代初期 ········· 236
二二四　人物　約三十年代初期 ········· 237
二二五　送子從師圖　約三十年代初期 ··· 238
二二六　玩硯圖　約三十年代初期 239
二二七　五柳先生像　約三十年代初期 ··· 240
二二八　田家風度　約三十年代初期 ······ 241
二二九　芙蓉　約三十年代初期 ········· 242

二三〇　梅花　約三十年代初期　…………　243
二三一　鵪鶉　約三十年代初期　…………　244
二三二　雙壽　約三十年代初期　…………　245
二三三　柳牛　約三十年代初期　…………　246
二三四　荔枝　約三十年代初期　…………　247
二三五　青蛙　約三十年代初期　…………　248
二三六　佛手　約三十年代初期　…………　249
二三七　紅葉山居　約三十年代初期　……　250
二三八　蝴蝶花　約三十年代初期　………　251
二三九　花果(册頁之一)　約三十年代初期　252
二四〇　花果(册頁之二)　約三十年代初期　253
二四一　花果(册頁之三)　約三十年代初期　254
二四二　花果(册頁之四)　約三十年代初期　255
二四三　花果(册頁之五)　約三十年代初期　256
二四四　花果(册頁之六)　約三十年代初期　257
二四五　花果(册頁之七)　約三十年代初期　258
二四六　花果(册頁之八)　約三十年代初期　259
二四七　群芳争艷　約三十年代初期　……　260
二四八　公鷄石榴　約三十年代初期　……　262
公鷄石榴(局部)　…………　263
二四九　枇杷　約三十年代初期　…………　264
枇杷(局部)　……………　265
二五〇　雙壽圖　約三十年代初期　………　266
雙壽圖(局部)　…………　267
二五一　雛鷄　約三十年代初期　…………　268
二五二　上學圖　約三十年代初期　………　269
二五三　芋葉青蛙　約三十年代初期　……　270
二五四　芋葉螃蟹　約三十年代初期　……　271
二五五　架豆蜻蜓　約三十年代初期　……　272
二五六　芋頭蘿蔔　約三十年代初期　……　273
二五七　南瓜麻雀(蔬果花鳥草蟲册頁之一)
約三十年代初期　…………　274
二五八　雁來紅(蔬果花鳥草蟲册頁之二)
約三十年代初期　…………　275
二五九　山茶花(蔬果花鳥草蟲册頁之三)
約三十年代初期　…………　276
二六〇　荷花蜻蜓(蔬果花鳥草蟲册頁之四)
約三十年代初期　…………　277
二六一　菊花(蔬果花鳥草蟲册頁之五)
約三十年代初期　…………　278
二六二　海棠花(蔬果花鳥草蟲册頁之六)
約三十年代初期　…………　279
二六三　玉蘭八哥(蔬果花鳥草蟲册頁之七)
約三十年代初期　…………　280
二六四　梅花(蔬果花鳥草蟲册頁之八)
約三十年代初期　…………　281
二六五　紫藤蜜蜂(蔬果花鳥草蟲册頁之九)
約三十年代初期　…………　282
二六六　鵪鶉　約三十年代初期　…………　283
二六七　荷花　約三十年代初期　…………　284
二六八　柿子　約三十年代初期　…………　285
二六九　白菜草菇　約三十年代初期　……　286
二七〇　紫藤蜜蜂　約三十年代初期　……　287
二七一　芙蓉小魚　約三十年代初期　……　288
芙蓉小魚(局部)　…………　289
二七二　松鷹　約三十年代初期　…………　290
二七三　荷花蜻蜓　約三十年代初期　……　291
二七四　穀穗蚱蜢　約三十年代初期　……　292
二七五　梅花鸚鵡　約三十年代初期　……　293
二七六　牽牛蜜蜂　約三十年代初期　……　294
二七七　雛鷄幼鴨　約三十年代初期　……　295
二七八　芭蕉　約三十年代初期　…………　296
二七九　竹簍荔枝　約三十年代初期　……　297
二八〇　栗子荸薺　約三十年代初期　……　298
二八一　笋　約三十年代初期　…………　299
二八二　櫻桃(花鳥草蟲册頁之一)
約三十年代初期　…………　300
二八三　桑葉(花鳥草蟲册頁之二)
約三十年代初期　…………　301
二八四　藤蘿(花鳥草蟲册頁之三)

約三十年代初期 ………………… 302
二八五 荷塘(花鳥草蟲册頁之四)
約三十年代初期 ………………… 303
二八六 柳牛(花鳥草蟲册頁之五)
約三十年代初期 ………………… 304
二八七 柳樹風帆(花鳥草蟲册頁之六)
約三十年代初期 ………………… 305
二八八 鷓鴣(花鳥草蟲册頁之七)
約三十年代初期 ………………… 306
二八九 蜘蛛(花鳥草蟲册頁之八)
約三十年代初期 ………………… 307
二九〇 雙魚(花鳥草蟲册頁之九)
約三十年代初期 ………………… 308
二九一 稻穗蝗蟲(花鳥草蟲册頁之十)
約三十年代初期 ………………… 309
二九二 葫蘆 約三十年代初期 ………… 310
二九三 梨花蝴蝶 約三十年代初期 …… 311
二九四 雛鷄 約三十年代初期 ………… 312
二九五 松鷹圖 約三十年代初期 ……… 313
二九六 藤蘿 約三十年代初期 ………… 314
二九七 天竹 約三十年代初期 ………… 315
二九八 牡丹白頭翁 約三十年代初期 … 316
二九九 柿樹 約三十年代初期 ………… 317
三〇〇 山石松鼠 約三十年代初期 …… 318
三〇一 蓼花 約三十年代初期 ………… 319
三〇二 蘆蟹 約三十年代初期 ………… 320

著録・注釋

繪畫 ……………………………………… 2

CONTENTS

CONTENTS

Paintings of Qi Baishi in His Flourishing Period ······ Lang Shaojun 2

PAINTINGS (1928—Early 1930s)

1 Angler 1928 ······ 1
2 Fortune 1928 ······ 2
3 Fortune c. 1928 ······ 3
4 Bodhisattva in White 1928 ······ 4
5 Solitary Walk on Willow Bridge 1928 ······ 5
6 Landscape 1928 ······ 6
7 Three Symbols of Longevity 1928 ······ 7
8 Plantain Cottage 1928 ······ 8
9 Walk in Snow with a Stick 1928 ······ 9
10 Green Pine White Cottage 1928 ······ 10
11 Stream－Bridge Spring－Willow 1928 ······ 11
12 Waterfall 1928 ······ 12
13 Loquat 1928 ······ 13
14 Pine Eagle 1928 ······ 14
15 Red－Crowned Crane 1928 ······ 15
16 Fragrance of Purity 1928 ······ 16
17 Plum Bird 1928 ······ 17
18 Spirits Crab 1928 ······ 18
19 Plum Crag Myna 1928 ······ 19
20 Plum c. 1928 ······ 20
21 Red Plum c. 1928 ······ 21
22 Stream Shrimps in Amusement 1929 ······ 22
23 Mandarin－Ducks Lotus 1929 ······ 23
24 Lotuspod Kingfisher 1929 ······ 24
25 Chrysanthemum Chickens 1929 ······ 25
26 Wistaria Bee 1929 ······ 26
27 Swimming Fish 1929 ······ 27
28 Chinese Crabapple (Flower Scrolls, I) 1929 ······ 28
29 Apricot (Flower Scrolls, II) 1929 ······ 29
30 Plum (Flower Scrolls, III) 1929 ······ 30
31 A Basket of Fragrance 1929 ······ 31
32 Pine Eagle 1929 ······ 32
Pine Eagle (Detail) ······ 33
33 Peasecod 1929 ······ 34
34 Red Plum (Fan Cover) c. 1929 ······ 35
35 Willow Buffalo 1929 ······ 36
36 Ducks Swimming in Willow Pond 1929 ······ 37
37 Minstrel on Willow Bank 1929 ······ 38
38 Flying a Kite (Fan Cover) 1929 ······ 39
39 Solitude of Narrow Path 1929 ······ 40
40 Autumn Water Cormorant 1929 ······ 41
41 Amitayus 1929 ······ 42
42 Shrimp (Fan Cover) 1929 ······ 43
43 Cloudy Mountains After Rain c. late 1920s ······ 44
44 Drinking in Sorrow c. late 1920s ······ 46
45 Hooking Not for Fish c. late 1920s ······ 47
46 Rock Village c. late 1920s ······ 48
47 White Rock House c. late 1920s ······ 49
48 Cedar Cottage c. late 1920s ······ 50
49 Solitary Boat c. late 1920s ······ 51
50 Mountain House c. late 1920s ······ 52
51 Landscape c. late 1920s ······ 54
52 Return in Rain c. late 1920s ······ 55
53 Willow Mountain Rock c. late 1920s ······ 56
54 Spring－Mountain Windswept Willow c. late 1920s ······ 57
55 Bamboo Partridge c. late 1920s ······ 58
56 Reed Goose c. late 1920s ······ 59
57 Riverbank Sunset c. late 1920s ······ 60
58 Pheasant Among Windswept Bamboos c. late 1920s ······ 62
59 Chrysanthemum Myna c. late 1920s ······ 63
60 Rooster c. late 1920s ······ 64
61 Hedge Chrysanthemum c. late 1920s ······ 65
62 Begonia c. late 1920s ······ 66
63 Posterity in Multitude c. late 1920s ······ 67
64 Straw Chicken c. late 1920s ······ 68
65 Straw Chicken c. late 1920s ······ 69
66 Bamboo Shoot (Miscellanea Sheets, I) c. late 1920s ······ 70
67 Fish Grass (Miscellanea Sheets, II) c. late 1920s ······ 71
68 Silkworm Mulberry (Miscellanea Sheets, III) c. late 1920s ······ 72
69 Narcissus c. late 1920s ······ 73
70 Ink Plum c. late 1920s ······ 74
71 Crab c. late 1920s ······ 75
72 Wistaria Bee c. late 1920s ······ 76

73 Tiger at Crouch c. late 1920s 77
74 Ink Peony c. late 1920s 78
75 Lychee Dragonfly c. late 1920s 79
76 Pine c. late 1920s 80
77 Ink Plum c. late 1920s 81
78 Luffa Frog c. late 1920s 82
79 Luffa Bee c. late 1920s 83
80 A School of Shrimps in Stream c. late 1920s 84
A School of Shrimps in Stream (Detail) 85
81 A Couple of Ducks c. late 1920s 86
A Couple of Ducks (Detail) c. late 1920s 87
82 Ducks Swimming in Lotus Pond c. late 1920s 88
83 Red Plum c. late 1920s 89
84 Crab c. late 1920s 90
85 Citrus c. late 1920s 91
86 Fish Amusement c. late 1920s 92
87 Sound of Autumn c. late 1920s 93
88 Iris c. late 1920s 94
89 Rooster c. late 1920s 95
90 Wistaria c. late 1920s 96
91 Peony c. late 1920s 97
92 Peony c. late 1920s 98
93 A Company of Three c. late 1920s 99
94 Grape Squirrel c. late 1920s 100
95 Pine Myna c. late 1920s 101
96 Myna in Cage c. late 1920s 102
97 Red Plum Myna c. late 1920s 103
98 Cottonrose upon Water c. late 1920s 104
99 Wistaria c. late 1920s 105
100 Bodhidharma c. late 1920s 106
101 Chinese Wistaria 1930 107
102 Pine Eagle 1930 108
103 Tradition of Innocence 1930 109
104 Chinese Wistaria 1930 110
105 Cottonrose Tiddler 1930 111
106 Pine 1930 112
107 Miscellanea, (Sheets, I) 1930 113
108 Miscellanea, (Sheets, II) 1930 114
109 Miscellanea, (Sheets, III) 1930 115
110 Miscellanea, (Sheets, IV) 1930 116
111 Miscellanea, (Sheets, V) 1930 117
112 Miscellanea, (Sheets, VI) 1930 118
113 Miscellanea, (Sheets, VII) 1930 119
114 Miscellanea, (Sheets, VIII) 1930 120
115 Miscellanea, (Sheets, IX) 1930 121
116 Miscellanea, (Sheets, X) 1930 122
117 Miscellanea, (Sheets, XI) 1930 123
118 Paradise-Bird Loquat 1930 124
119 Ink Plum 1930 125
120 Longevity Peach 1930 126
121 Rice-Ear Mouse c. 1930 127
122 Pine Cottage Among Mountains 1930 128
123 Splash-Ink Landscape c. 1930 129
124 Lake Sail c. 1930 130
Lake Sail (Detail) 131
125 Landscape 1930 132
126 Preparation of Longevity Pill c. 1930 134
127 Zhong Kui Titillating 1930 135
128 Reading at Night 1930 136
129 Taking Son to the Teacher c. 1930 137
130 Health over Age c. 1930 138
131 An Exchange of Abuses c. 1930 139
132 Taking Son to School (Figure Sheets, I) c. 1930 140
133 Delivering Dinner to Son at School (Figure Sheets, II) c. 1930 141
134 Figure with Jar (Figure Sheets, III) c. 1930 142
135 Portrait of a Scholar (Figure Sheets, IV) c. 1930 143
136 A Necessary Rest (Figure Sheets, V) c. 1930 144
137 Reading Figure (Figure Sheets, VI) c. 1930 145
138 Pear-Blossom (Tetradic Flower-Fruit Scrolls, I) 1930 146
139 Magnolia (Tetradic Flower-Fruit Scrolls, II) 1930 147
140 Chrysanthemum (Tetradic Flower-Fruit Scrolls, III) 1930 148
141 Lychee (Tetradic Flower-Fruit Scrolls, IV) 1930 149
142 Happiness Bird and Fortune Fruit 1931 150
Happiness Bird and Fortune Fruit (Detail) 151
143 Plum Poetry 1931 152
144 Wistaria with Two Bees 1931 153
145 Morning Glory 1931 154
146 Young Eagle 1931 155

147 Morning Sun (Landscape Sheets, I) 1931 ········· 156
148 Misty Sails on the Sea (Landscape Sheets, II) 1931 ········· 157
149 Cormorant (Landscape Sheets, III) 1931 ········· 158
150 Lotus Pond (Landscape Sheets, IV) 1931 ········· 159
151 Bare Mountain with Remaining Snow (Landscape Sheets, V) 1931 ········· 160
152 View After Rain (Landscape Sheets, VI) 1931 ········· 161
153 Pine Trees (Landscape Sheets, VII) 1931 ········· 162
154 Angling in Yangxian (Landscape Sheets, VIII) 1931 ········· 163
155 Rotten Tree with Cold Crows (Landscape Sheets, IX) 1931 ········· 164
156 Cattle – Herding (Landscape Sheets, X) 1931 ········· 165
157 Sleeping Village Under the Moon (Landscape Sheets, XI) 1931 ········· 166
158 Willow River in the Autumn Sun (Landscape Sheets, XII) 1931 ········· 167
159 Fair Wind on Clear Waves 1931 ········· 168
160 Riding the Wind and Waves 1931 ········· 169
161 Homeward Crows at Dusk 1931 ········· 170
Homeward Crows at Dusk (Detail) ········· 171
162 Jieshan Poetry Workshop (Landscape Scrolls, I) 1932 ········· 172
163 Spring Song Through Leaves (Landscape Scrolls, II) 1932 ········· 173
164 Red Sun White Sail (Landscape Scrolls, III) 1932 ········· 174
165 Sail with Fair Wind (Landscape Scrolls, IV) 1932 ········· 175
166 Wild Cottages in Greenery (Landscape Scrolls, V) 1932 ········· 176
167 Lotus Pavilion in Summer (Landscape Scrolls, VI) 1932 ········· 177
168 Cloudy Mountains After Rain (Landscape Scrolls, VII) 1932 ········· 178
169 Homeward Birds at Dusk (Landscape Scrolls, VIII) 1932 ········· 179
170 Dai Temple (Landscape Scrolls, IX) 1932 ········· 180
171 A White World (Landscape Scrolls, X) 1932 ········· 181
172 Landscape of Shu in Dream (Landscape Scrolls, XI) 1932 ········· 182
173 Moon in Fullness with Stone of Longevity (Landscape Scrolls, XII) 1932 ········· 183
174 Ducks in Bamboo Stream (Landscape Sheets, I) c. 1932 ········· 184
175 Willow Sail (Landscape Sheets, II) c. 1932 ········· 185
176 A Drunken Sleep (Landscape Sheets, III) c. 1932 ········· 186
177 Stream Trees (Landscape Sheets, IV) c. 1932 ········· 187
178 Herdsboy Flying a Kite (Landscape Sheets, V) c. 1932 ········· 188
179 A Plough of Spring Rain (Landscape Sheets, VI) c. 1932 ········· 189
180 A Building Among Plantain Leaves (Landscape Sheets, VII) c. 1932 ········· 190
181 Moon Between Two Rocks (Landscape Sheets, VIII) c. 1932 ········· 191
182 Sitting Buddha Under the Bo – Tree 1932 ········· 192
183 Yiwei Crossing River 1931 – 1932 ········· 193
184 Zhong Kui Titillating c. early 1930s ········· 194
185 Swimming – Shrimp Scissor – Grass 1932 ········· 195
186 Crabs 1932 ········· 196
187 Wistaria with Two Bees (Fan Cover) 1932 ········· 197
188 Squirrel 1932 ········· 198
189 Hyacinth – Bean 1932 ········· 199
190 Angling in Willow Stream 1932 ········· 200
191 A School of Shrimps 1932 ········· 201
192 Apricot Green Moth (Flower – Grass – Insect Sheets, I) 1932 ········· 202
193 Pear – Blossom Grasshopper (Flower – Grass – Insect Sheets, II) 1932 ········· 203
194 Amaranth Butterfly (Flower – Grass – Insect Sheets, III) 1932 ········· 204
195 Orchid Beetle (Flower – Grass – Insect Sheets, IV) 1932 ········· 205
196 Rice – Leaf Locust (Flower – Grass – Insect Sheets, V) 1932 ········· 206
197 Peach – Blossom Gray – Moth (Flower – Grass – Insect Sheets, VI) 1932 ········· 207
198 Peasecod Cricket (Flower – Grass – Insect Sheets, VII) 1932 ········· 208

199 Cruciferae Mole－Cricket (Flower－Grass－Insect Sheets, VIII) 1932 …… 209
200 Aquatic－Grass with Two Shrimps (Flower－Grass－Insect Sheets, IX) 1932 …… 210
201 Rice－Ear Mantis (Flower－Grass－Insect Sheets, X) 1932 …… 211
202 Leaf Wasp (Flower－Grass－Insect Sheets, XI) 1932 …… 212
203 Green Grass Locust (Flower－Grass－Insect Sheets, XII) 1932 …… 213
204 Crabapple Dragonfly 1932 …… 214
205 Chinese Crabapple 1932 …… 215
206 Crabapple Sparrow 1932 …… 216
207 Two Symbols of Longevity 1932 …… 217
208 Duck Cottonrose 1932 …… 218
Duck Cottonrose (Detail) …… 219
209 Pine Eagle 1933 …… 220
210 Rock Pheasant 1933 …… 222
211 Chrysanthemum (Fan Cover) 1933 …… 223
212 Chrysanthemum Cricket 1933 …… 224
213 Chrysanthemum 1933 …… 225
214 Lotus Pond Academy 1933 …… 226
Lotus Pond Academy (Detail) …… 227
215 Reclusive Farming Life 1933 …… 228
216 Buddhist with Incense 1933 …… 229
217 Rice－Ear Locust (Flower－Bird－Grass－Insect Sheets, I) c. early 1930s …… 230
218 Peasecod Longicorn (Flower－Bird－Grass－Insect Sheets, II) c. early 1930s …… 231
219 Oil－Lamp Yellow－Moth (Flower－Bird－Grass－Insect Sheets, III) c. early 1930s …… 232
220 Turnip Cricket (Flower－Bird－Grass－Insect Sheets, IV) c. early 1930s …… 233
221 Wistaria Moth (Flower－Bird－Grass－Insect Sheets, V) c. early 1930s …… 234
222 Green Grass Mantis (Flower－Bird－Grass－Insect Sheets, VI) c. early 1930s …… 235
223 Tieguai Li c. early 1930s …… 236
224 Figure c. early 1930s …… 237
225 Taking Son to the Teacher c. early 1930s …… 238
226 Appreciation of Inkstone c. early 1930s …… 239
227 Portrait of Wuliu the Recluse c. early 1930s …… 240
228 A Country Beauty c. early 1930s …… 241
229 Cottonrose c. early 1930s …… 242
230 Plum c. early 1930s …… 243
231 Quail c. early 1930s …… 244
232 Two Peaches of Longevity c. early 1930s …… 245
233 Willow Buffalo c. early 1930s …… 246
234 Lychee c. early 1930s …… 247
235 Frog c. early 1930s …… 248
236 Citrus c. early 1930s …… 249
237 Mountain House Among Red Leaves c. early 1930s …… 250
238 Iris c. early 1930s …… Iris 251
239 Flower Fruit (Sheets, I) c. early 1930s …… 252
240 Flower Fruit (Sheets, II) c. early 1930s …… 253
241 Flower Fruit (Sheets, III) c. early 1930s …… 254
242 Flower Fruit (Sheets, IV) c. early 1930s …… 255
243 Flower Fruit (Sheets, V) c. early 1930s …… 256
244 Flower Fruit (Sheets, VI) c. early 1930s …… 257
245 Flower Fruit (Sheets, VII) c. early 1930s …… 258
246 Flower Fruit (Sheets, VIII) c. early 1930s …… 259
247 A Crowd of Flower Varieties c. early 1930s …… 260
248 Rooster Pomegranate c. early 1930s …… 262
Rooster Pomegranate (Detail) …… 263
249 Loquat c. early 1930s …… 264
Loquat (Detail) …… 265
250 Two Symbols of Longevity c. early 1930s …… 266
Two Symbols of Longevity (Detail) …… 267
251 Chicken c. early 1930s …… 268
252 School Life c. early 1930s …… 269
253 Taro－Leaf Frog c. early 1930s …… 270
254 Taro－Leaf Crab c. early 1930s …… 271
255 Pole－Bean Dragonfly c. early 1930s …… 272

256 Taro Turnip c. early 1930s ··············· 273
257 Squash Sparrow (Vegetable – Fruit – Flower – Bird – Grass – Insect Sheets, I) c. early 1930s ·························· 274
258 Amaranth (Vegetable – Fruit – Flower – Bird – Grass – Insect Sheets, II) c. early 1930s ·························· 275
259 Camellia (Vegetable – Fruit – Flower – Bird – Grass – Insect Sheets, III) c. early 1930s ························ 276
260 Lotus Dragonfly (Vegetable – Fruit – Flower – Bird – Grass – Insect Sheets, IV) c. early 1930s ························ 277
261 Chrysanthemum (Vegetable – Fruit – Flower – Bird – Grass – Insect Sheets, V) c. early 1930s ·························· 278
262 Chinese Flowering Crabapple (Vegetable – Fruit – Flower – Bird – Grass – Insect Sheets, VI) c. early 1930s ······ 279
263 Magnolia Myna (Vegetable – Fruit – Flower – Bird – Grass – Insect Sheets, VII) c. early 1930s ······················ 280
264 Plum (Vegetable – Fruit – Flower – Bird – Grass – Insect Sheets, VIII) c. early 1930s ···························· 281
265 Wistaria Bee (Vegetable – Fruit – Flower – Bird – Grass – Insect Sheets, IX) c. early 1930s ························ 282
266 Quail c. early 1930s ························ 283
267 Lotus c. early 1930s ························ 284
268 Persimmon c. early 1930s ················ 285
269 Cabbage Mushroom c. early 1930s ·· 286
270 Wistaria Bee c. early 1930s ············ 287
271 Cottonrose Tiddler c. early 1930s ······ 288
Cottonrose Tiddler (Detail) ············ 289
272 Pine Eagle c. early 1930s ················ 290
273 Lotus Dragonfly c. early 1930s ········· 291
274 Rice – Ear Grasshopper c. early 1930s ·· 292
275 Plum Parrot c. early 1930s ·············· 293
276 Morning Glory Bee c. early 1930s ·· 294
277 Chickens and Ducklings c. early 1930s ·· 295
278 Plantain c. early 1930s ··················· 296
279 Basket Lychee c. early 1930s ············ 297
280 Chestnut Varieties c. early 1930s ······ 298
281 Bamboo Shoot c. early 1930s ············ 299
282 Cherry (Flower – Bird – Grass – Insect Sheets, I) c. early 1930s ········· 300
283 Mulberry (Flower – Bird – Grass – Insect Sheets, II) c. early 1930s ······ 301
284 Chinese Wistaria (Flower – Bird – Grass – Insect Sheets, III) c. early 1930s ·· 302
285 Lotus Pond (Flower – Bird – Grass – Insect Sheets, IV) c. early 1930s ······ 303
286 Willow Buffalo (Flower – Bird – Grass – Insect Sheets, V) c. early 1930s ·· 304
287 Willow Windswept Sail (Flower – Bird – Grass – Insect Sheets, VI) c. early 1930s ································ 305
288 Cormorant (Flower – Bird – Grass – Insect Sheets, VII) c. early 1930s ·· 306
289 Spider (Flower – Bird – Grass – Insect Sheets, VIII) c. early 1930s ·· 307
290 Two Fish (Flower – Bird – Grass – Insect Sheets, IX) c. early 1930s ······ 308
291 Rice – Ear Locust (Flower – Bird – Grass – Insect Sheets, X) c. early 1930s ·· 309
292 Gourd c. early 1930s ····················· 310
293 Pear – Blossom Butterfly c. early 1930s ·· 311
294 Chicken c. early 1930s ··················· 312
295 Pine Eagle c. early 1930s ················ 313
296 Chinese Wistaria c. early 1930s ········· 314
297 Nandina c. early 1930s ··················· 315
298 Peony Grey – Starling c. early 1930s ·· 316
299 Persimmon c. early 1930s ················ 317
300 Rock Squirrel c. early 1930s ············ 318
301 Knotweed c. early 1930s ················· 319
302 Weed Crab c. early 1930s ················ 320

BIBLIOGRAPHY, AND ANNOTATIONS

Paintings ·· 2

齊白石盛期的繪畫

一九二八年 — 一九四八年

齊白石盛期的繪畫

郎紹君

木葉泉聲(山水十二條屏之一)

舍利函齋圖

衰年變法以後,齊白石的繪畫藝術進入盛期:個性風格完全形成,題材、體裁、形式、表現手段相對成熟與穩定,作品精氣彌滿、技巧高超,讓人拍案叫絶的杰作不斷出現。耄耋之年成為一生中最富創造力的時期①,大器晚成。

盛期繪畫又可分為四個段落:

一、一九二八—一九三二(六十六—七十歲)

這五年,緊接衰年變法,風格與表現仍有局部調整變化。作品很多,仍以花卉、禽鳥、水族為主,間以人物、佛像、山水、牛、草蟲等。五年中,有十分精彩的山水作品出現,如《石村圖》(炎黄藝術館藝術中心藏)、《雨歸圖》(楊永德藏)、《山水十二條屏》(中國嘉德一九九四年秋季拍賣會)、《山水十二條屏》(重慶市博物館藏)等。重要的人物作品有二十四開《人物册》②等。賣畫很多,粗疏與重復之作亦不少。

二、一九三二—一九三七(七十—七十七歲③)

一九三三年,《白石印草》、《白石詩草》印行,此後作詩刻印相對減少,作畫更加勤奮。各種作品的和諧性更高,筆力更加沉厚。寫意花鳥占絶對多數,多用潑墨與勾勒點畫結合的畫法,間以没骨(如中國美術館藏一九三六年所作十二開《草蟲册》)。有時也作極為工細的貝葉草蟲。一般賣畫皆不作山水、人物④,衹有遇特殊情況或有所感興,非畫山水、人物不可時才作,如一九三二至一九三三年之間,為答謝朋友為他的詩草題辭,均以命題山水畫回贈⑤。人物畫多佛像與現實人物條屏,或綉像式單人圖像,畫法均為粗筆寫意。

三、一九三七—一九四五(七十七—八十五歲)

一九三七"七·七"事變後,北京淪陷,齊白石辭去北京藝專教職,閉門謝客,但依舊作畫、賣畫。畫山水更少,偶有所作,便很精彩,如一九三八年的《舍利函齋圖》。人物佛像也比以前少了,大寫意花鳥蟲魚及松鷹、鼠子等,愈見精彩。花卉更强調色彩對比,物象更趨簡練,畫法上已形成創造性的程式，典型者如畫壽桃、荔枝、梅花、水族、牡丹、棕櫚、小鷄、暮鴉、貝葉草蟲等等，筆墨風格老辣而平淡。約一九四〇年，他在鐵柵屋的廊子上畫了一些工細草蟲，直到後幾年才以寫意方法補景[⑥]。

四、一九四五——九四八（八十五—八十八歲）

抗戰勝利後，齊白石精神振奮，畫作增多，且多精品。一九四六年，他先後在重慶、南京、上海舉辦了個展，受到熱烈歡迎。畫水族如蝦、蟹、蛙增多，更喜歡用紅色，更强調色與色、色與墨的對比。先前所畫的工筆草蟲，到一九四五至一九四八年間，陸續補畫花卉，極工細之草蟲與大寫意花卉合為一體的册頁最具魅力。新題材與新式樣已不多，但筆墨、色彩和作品的格調都有新的升華——愈加自如、簡少而耐看。人物畫如《掏耳圖》等，增加了幽默性。山水更加罕見，偶有所作，已相形見絀於花鳥。

盛期繪畫作品多，質量高，變化小，本文不再依照編年的順序具體考察，衹從作品的選材、精神意義、創作機制與風格特色諸方面，略加分析。

經驗世界

古往今來的中國畫家，所畫農村題材之豐富，未有超過齊白石者。根據遠不完全的統計，其作品中，具名花草約八十種，蔬果約四十種，樹木約十五種，魚蟲五十餘種，禽鳥三十餘種，家畜走獸約十五種，工具什物約三十種，具名人物鬼神（不算肖像等）五十餘種，具名山水風景約四十種。上述題材，畫家經驗過的占絶對多數。到盛期，現實題材幾乎占百分之百。因此，齊白石畫中的世界，基本是一個“經驗的世界”[⑦]。

齊白石一生為家庭生計奔波勞碌，從來就着眼於現實，不沉緬於幻想和虛妄。晚年畫題多源自回憶。重視直覺經驗，是他和臨摹畫家的根本區别。有意思的是，這一特色也拉開了他與寫生畫家的距離：後者常常衹强調對景描繪，脱離了直觀對象（模特兒）就手足無措。臨摹家和寫生家雖然很對立，但在輕視直接經驗這點上，却是一致的：他們不是缺乏經驗，而是缺乏將昔日經驗化為視覺圖像和藝術形態的能力或努力。

畫鷹存稿（一九三六年）

齊白石畫一草一木也聯係着自己的經歷。“擬畫借山老梅樹，呼兒同看故園花”，“隔院黄鸝聲不斷，暮烟晨露百梅祠”，“借山館”和“百梅祠”都是他在家鄉時的居所，畫梅引起的是鄉情和故園之思，這和“夢繞

荷花鴛鴦畫稿

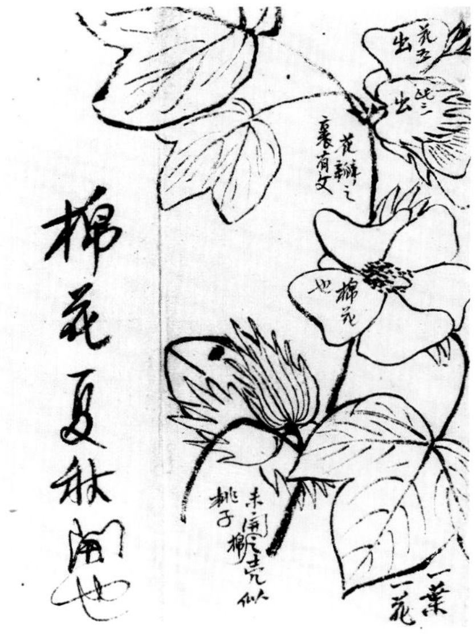

棉花畫稿

清溪三百曲,滿天風雪一人孤"(邊壽民題畫梅)的情致是大不同的。畫荷亦如此。齊白石的家鄉多水塘,盛產蓮子,種荷、采蓮是農家勞動生活的重要内容。他晚年畫荷蓮的冲動,大多與這些勞動記憶有關。

人生能約幾黄昏,往夢追思尚斷魂。
五里新荷田上路,百梅祠到杏花村。

閑看北海荷千頃,强説瀟湘水更清。
岸上小亭終日卧,秋來無此雨聲聲。

——《題畫荷》

"杏花村"指杏子塢——齊白石的出生地。看的是北海公園的荷花,想的却是瀟湘的清水、荷塘,就連秋天雨打荷葉的聲音也不一樣。畫藤亦如此。如《題畫藤》寫道:

陰密如雲蔽日華,偶聞香氣更思家。
借山四野皆紫海,樵牧何曾認作花。

春園初暖鬧蜂衙,天半重藤藍紫霞。
雷電不行笳鼓震,好花時節上京華。

聞藤香而"思家",甚至想起了當年藤開時節避亂來京的情景。老人有時也以藤自喻,如《雨裏藤花》題"柔藤不借撑持力,卧地開花落不驚",説自己如卧地之藤,不靠外力"撑持",照樣開花。這和畫藤常以"繁英垂紫玉"、"明珠滴露"自喻的吴昌碩大相徑庭——吴延續着文人畫家自比清高的傳統,齊則全然出自與個人經歷相關的聯想。

齊白石畫瓜果菜蔬,相伴隨的更是對鄉村生活的懷念。如《題畫扁豆》:"籬豆棚蔭蟋蟀鳴,一年容易又秋風"——第一句直入田園境界,第二句喟嘆時光易逝。這喟嘆,既有農民對季節轉换的平淡態度,也有文人對光明流逝的敏感反應。唯齊白石這樣具有農民、詩人雙重素質與體驗的人,才發得出。類似的詩句,在《白石詩草》中俯拾皆是。

魚蝦草蟲,也浸透了白石老人的記憶。"丁巳年前懶似泥,杖藜不出借山西。細看魚嚼桃花影,習習春風吹我衣。"(《題畫魚》)"丁巳"為一九一七年,齊白石避亂定居北京,他晚年的作品,幾乎都取自丁巳離家前的種種印象。

乞取銀河洗甲兵，餘霞峰下老歸耕。
此生强半居朝市，聽慣空山紡織聲。

——《題畫紡織娘》

蓮花峰下淡烟横，杏子塢前春雨晴。
十五年來難再夢，一雙蝴蝶晚風輕。

——《題畫蝶》

紡織娘、蝴蝶之類草蟲，和蓮花峰、杏子塢、歸耕之思聯係在一起。人物山水動物也多如此。他筆下極富個性的獨山獨峰形象，主要來自一九〇五年桂林之遊；他經常畫的柳岸、江村、柏屋、竹舍、芭蕉林、渡海漁舟、秋水鸕鷀、暮鴉、柳牛、鷄鴨、老鼠、燈蛾、夜讀、送學等等，莫不與其家鄉景物、遊歷所見、兒時記憶相關。甚至他借李鐵拐、不倒翁表達的思想情感，如“天下從來多妄妖，葫蘆有藥人休買”，“抛却葫蘆與鐵拐，人間誰識是神仙”等，也都源於他的人生經驗。

自文人畫成為中國繪畫的主流後，工於描寫的畫工畫、北宗畫受到貶抑，水墨寫意隨之演為大潮。在水墨寫意畫家眼裏，形式意趣往往比形神兼備更重要。筆墨愈益精緻，題材愈見窄狹；師造化、重描繪的傳統日漸衰落。明代謝肇淛《五雜俎》曾感嘆當時畫界衹以“意趣為宗”而“卑視”人物故事、花鳥翎毛。這一趨勢至清代没有大改觀，於是有民初康有為、陳獨秀、魯迅、蔡元培等人士改造文人寫意畫、引入西方寫實方法的呼吁⑧。齊白石與這些呼吁者代表的新潮流無關，他屬於另一傳統脉系——自明代中期以來伴隨着商業和城市繁榮興起的看重現實描述、把民間藝術與文人藝術、雅與俗合為一流的脉系。從在鄉村畫像、賣畫開始，齊白石就重視描繪的真似，親近世俗與世情；定居北京後以賣畫求生存，新的顧主——城市各階層的審美取向對他產生了制約。要適應諸多的購求者，就不能題材太單調，也不能一味高雅。齊白石丢掉所喜愛的八大，却不能丢掉某些民間與市俗的趣味，正與此有關。簡要言之，齊白石以心物并重的態度，有意無意地抗衡了遠離現實世界、重心輕物的正宗文人畫傳統，給水墨畫注入世俗的温暖、豐富的生命圖景和色彩繽紛的物質光輝。

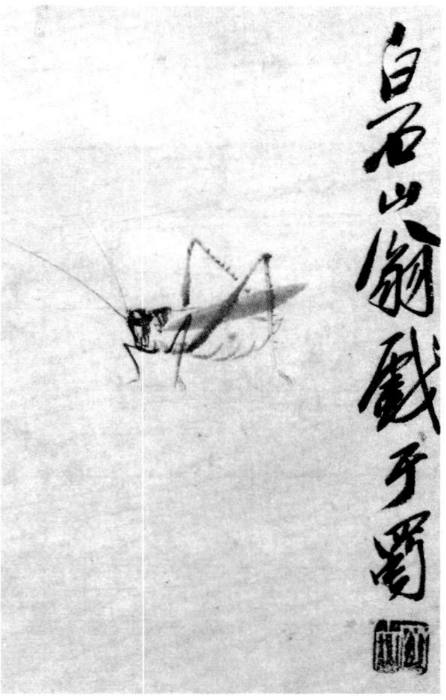

紡織娘

送學圖

遲遲夜讀圖

慈愛之心

齊白石是一個純真而有愛心的人。他的《送子讀書圖》(一九三〇年)刻畫一老者送小兒去讀書,身着紅衣的孩子一手把書,一手擦泪。老人慈愛地撫摸着他的頭,安慰着。同一稿本的變體畫《送學圖》題了兩首詩:

處處有孩兒,朝朝正耍時。
此翁真不是,獨送汝從師。

識字未為非,娘邊去復歸。
莫教兩行泪,滴破汝紅衣。

同年所作《遲遲夜讀圖》,産生於同一創作動機,是《送學圖》的姊妹篇。燈火燃着,讀書的遲遲却伏案睡去。他身着紅衣,把臉埋在手背上,衹露出圓圓的娃娃頭,似乎正是《送學圖》中那個孩子。書桌方正,坐椅歪斜,沉睡正酣。白石自題:

余年六十生兒名遲。六十以後生者,名遲遲。[9]
文章早廢書何味。不怪吾兒瞌睡多。

真是一位豁達的父親。他寧願看着小兒子瞌睡,也不逼他讀書。舐犢深情,躍然紙上。白石為婁師白所畫《補裂圖》、為張次溪所畫《江堂侍學圖》、為羅祥止畫《教子圖》等,都描繪類似的親情故事,表現了他對仁愛之心的共鳴。他的許多詩歌與短文,如《祭次男子仁文》等,把這種情感表達得更為動人。

人與自然的親和,不如人倫親情强烈、熾熱,但更寬泛而持久。白石老人的愛心,集中體現於後者。在詩畫裏,他像兒童那樣跟花朵、樹木、魚蝦、麻雀、小鷄、蜻蜓、青蛙談心,把它們當作朋友、伙伴。“憐君五五猶存舌,啁啁人前聽未清。莫是言些傷心事,不然何以不成聲?”(《題畫鸚鵡》)這是和鸚鵡對話;“家雀家雀,東剥西啄,糧食倉空,汝曹何着?”(《題畫麻雀》)這是和麻雀對話。無跋語的畫面,可以看出類似的潛臺詞。《松鳥圖》(中國藝術研究院美術研究所藏)刻畫一鳥飼雛鳥,雛鳥張口待喂,有如嬰兒待哺——這使人想起法國畫家米勒的名作《小鳥》,描寫一農婦在屋門口喂兩個幼子吃飯。齊白石畫鳥,使觀者想到人;米勒畫人,讓人想到小鳥。兩位不同國度的藝術家,都是農民的兒子,都熱愛農村。他們的樸素愛心,一個獻給人,一個獻給自然。這種同與异,也微妙地顯示着中西兩種文化的共性與個性。

《燈蛾圖》也許最能揭示老人對自然生命的惻隱之心。一盞用通草作芯的老式油燈,照着鄉間土屋。趁光的飛蛾撲向跳躍的燈火,有時被燒灼、被粘在油盤裏。畫家常題這樣一首詩:

園林安靜鎖蒼茵,霜葉如花秋景新。
休入破窗撲燈火,剔開紅焰恐無人。

"剔開紅焰恐無人"是《燈蛾圖》最常見的題句。老人憐惜生命之心流露無遺。《齊白石作品選集》收入的一幅《燈蛾圖》題"兒輩有仁心,與以此幀"。孟子曰:"惻隱之心,仁之端也。"白石的仁愛之心不同於佛家的"護生"。他愛蟹也吃蟹,畫蝦也把蝦作為珍肴,甚至大有興味刻畫置於盤裏配酒的熟蟹。他還以欣賞的眼光描繪自然生命間的"劫殺"——如鳥兒捕食,小鷄争蚯蚓,螳螂捕蟲,以及斗鷄、斗蟋蟀等。他覺得那種眼大而不善鬥的蟋蟀"可憎",莫如勇敢搏擊的蟋蟀可愛[10],換言之,齊白石愛的是活潑潑的生命,包括生命的争鬥和掙扎。在生活中,白石憎惡吃糧的蝗蟲,盜洞的老鼠,"聒人兩耳"的青蛙,但在他筆下,它們莫不變得活潑可愛。藝術裏的這種仁愛之心,超乎功利之上,是對生命和生命情境的詩意體驗。有時,齊白石也表示出對弱者的同情。有一幅《小雀》,畫一小鳥立於石上,題曰:"亂涂一片高撑石,恐有饑鷹欲立時。好鳥能飛早飛去,他山還有密低枝。"他勸小鳥避開捕食的饑鷹。白石愛鷹的雄健與勇猛,但又不願看見弱肉强食。北京榮寶齋藏花鳥册中的《翠鳥》,畫一藍衣紅肚翠鳥,題曰:"羽毛可取終非祥"。當美麗的羽毛被人視為"可取"時,鳥兒面臨的不是吉祥之兆。畫家賞其羽毛之美,也愛其生命。在世界上,美與善往往難以兩全。老人對自然生命的這種複雜態度,也隱約透露出他的人生體驗與態度。

童年回憶

晚年居住在北京四合院裏的齊白石,常常回憶往事,念及童年生

松鳥圖

松鷹圖

燈蛾圖

活。把筆作畫，總是情不自禁地回到星塘老屋，回到有人呼喚“阿芝”的情境。這情境，有時是傷感沉重的，有時是歡愉輕松的。《題畫柿》云：

紫雲山上夕陽遲，拾柿難忘食乳時。
七十老兒四千里，倚欄鶴發各絲絲。
——《燕市見柿，憶及兒時，復傷星塘》

在北京看見柿子，憶及童年與慈親恩澤，感今追昔，不勝悲慨。題《竹》就另是一番情景了：

兒戲追思常砍竹，星塘屋後路高低。
而今老子年七十，恍惚昨朝作馬騎。

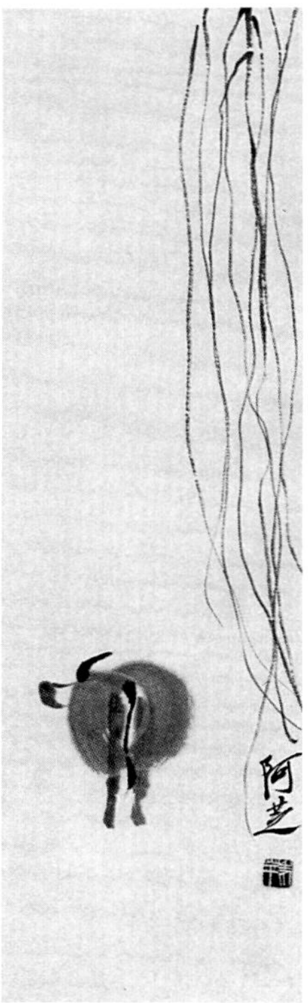

柳牛圖

遥遠的記憶單純而又複雜。白石常畫的《柳牛圖》，畫面衹有一條牛，幾根柳絲，餘皆空白，從不畫山坡、草地、水塘和牧童，近乎夢一樣的空濛。記憶裏的童年景象，有時單純而又朦朧，好像那紛雜的世界都被童稚的單純逼向時間空白裏的。齊白石畫蝦不獨是買畫者所愛求，也連結着他的童年生活。星塘老屋前後都是水塘，摸魚釣蝦，乃其童年樂事。八十三歲所作《憶先父》記述曰：

余少時隨先父耕於星塘老屋之田，向晚濯足星塘，足痛如小鉗亂鋏。視之，見血。先父曰：“此草蝦欺我兒也。”忽忽七十餘年矣。碧落黄泉，吾父何在？吾將不能歸我星塘老屋也。

蘆蝦

一隻草蝦，勾起多少往日的思念！他還畫過一幅《兒時釣蝦圖》，題詩云：

五十年前作小娃，棉花為餌釣蘆蝦。
今朝畫此頭全白，記得菖蒲是此花。

詩後小注：“余少時嘗以棉花為餌釣大蝦，蝦足鉗其餌。釣絲起，蝦隨釣絲出水，鉗猶不解，衹顧一食，忘其登岸矣。”詩與小注，充滿情趣，仿佛還浸沉在少年時的愉快中。

“衰老耻知煤米價，兒時樂事可重誇。”對操勞一世、厭於人生嘈雜的齊白石而言,兒時回憶是片無憂慮的樂土。老年人以童心看世界,除了樂趣,有時還暗示出某些深刻的東西。“少小心多記事殊,老年一事未糊涂。鐵蘆塘尾菖蒲草,五十三年尚有無?”片雲陣雨般飄忽不定的思緒,記録了老人悟透人生後的心靈漫步。在這漫步中,五十三年生命迹歷和萬千感慨,竟衹化作對一叢小草的平淡發問!

晚年齊白石的印章,有“思持年少漁竿”、“也曾卧看牛山”、“歸夢看池魚”、“小名阿芝”等印文,都直白他對童年天真的懷念。他畫一竿、一絲、幾條小青魚,題曰:“小魚都來”。極單純的描寫和口語化的標題,倏然把人帶到孩提時代。白石晚年喜愛單純的造型和强烈的色彩,在一定程度上是出於對逝去的生命童稚的懷念。北京榮寶齋藏一册頁,畫一横枝,三片葉,一隻白頭小鳥,題曰:“所鳴何事”,完全是小孩子的口吻。心理學家把兒童的某個階段稱作“唯靈化”時期,在這個時期内,他們把一切都看作有生命的靈物。美學家進一步説,初民和孩子天生都具有詩人素質,“都相信‘花能解語’,‘西風是在樹林間嘆息’”[11]。心理學家又把老年人行為兒童化的“返老還童”現象,稱之為“第二童年期”。生理機能相對衰退的老年人,把握外部世界的能力减弱,情感與本能有時反而强烈,行為常常像兒童般天真與任性。老年人的另一特點,是多内省與内視——反復回顧過去的一切,咀嚼曾經有過的生活,把生命的歷程重新在内心裏經歷一遍,用智慧和愛的光輝照亮那些焕發過生命意義的東西[12]。齊白石藝術的奥秘之一,須由此探尋。

幽默和智慧

幽默是一種睿智,一種宣泄。齊白石晚年的一些作品(主要是人物畫),富於幽默感。這種幽默感來自豐富的人生閱歷,對世事的解悟,以及對平凡事物中神奇和笑料的發掘。圖畫形象與詩歌題跋的巧妙結合,是表現這種幽默的基本方式。典型作品之一是人們熟悉的《不倒翁》。它把事物的反正、表裏、莊諧融為一體,讓適當的漫畫手法和妙趣横生的詩歌相得益彰,把嚴肅的東西以玩笑的輕松態度揭示出來,使人在愉悦之餘感到藝術家盱衡世事的洞察力。《搔背圖》也是典型之作。一九二六年的《搔背圖》自題仿朱雪个,畫一秃頂老者,自己用小竹篼(俗稱“癢癢撓”)搔背,其狀頗有趣。《齊白石作品集·第一集·繪畫》中的《鐘馗搔背圖》,刻畫小鬼為鐘馗搔背,題句云:

不倒翁

打柴叉圖(一九三〇年)

鐘馗搔背圖

不在下偏搔下，不在上偏搔上。
汝在皮毛外，焉能知我痛癢？

一九三六年遊蜀，又為王治園作一《鐘馗搔背圖》，出於同一稿本，題詩有了變化：

者（這）裏也不是，那裏也不是。
縱有麻姑爪，焉知著何處？
各自有皮膚，哪能入我腸肚！

畫中的綠臉小鬼雙手為主子搔背，鐘馗又癢又急，胡子都飛了起來。為別人搔癢總難搔着癢處，侍候老爺的小鬼不好當。詼諧的畫面，口語般詩句中的理趣，使人愉快，也使人得到智慧。

年輕時多畫八仙的齊白石，晚年衹喜畫李鐵拐。他描繪的着力點在李鐵拐仙質其裏與乞丐其外的矛盾，常常遺憾世人衹看其表，不識真仙。《一粒丹砂圖》畫的也是鐵拐李模樣的人，畫上題：

盡了力氣燒煉，方成一粒丹砂。
塵世凡夫眼界，看為餓殍身家。

有時他責怪李鐵拐錯借乞丐身，對“凡夫眼界”表示原諒：

還尸法術也艱難，應悔離尸久未還。
不怪世人皆俗眼，從無乞丐是仙般。
——《題李鐵拐》

齊白石定居北京後，常受到一些自命“高雅”者的排斥，說他人“土”畫“粗”，不入“風雅”。對此，他不免憤憤然，畫李鐵拐題“塵世凡夫眼界，看為餓殍身家”，是有感而發的。但有時他又覺得自己確實是個農民，不必怪一般“俗眼”。這樣的詩與畫，没有了幽默與諷刺，衹有憤懣、悲哀，以及對世事人生的某種領悟：世事的真真假假，各有其緣由，不必特別認真。

齊白石有一些自寫性的作品，如《老當益壯》、《人罵我我也罵人》、《歇歇》、《却飲圖》、《醉歸圖》等，都表現一個老人的自我意識、生活態度與情狀。迄今所知,《人罵我我也罵人》以一九三〇年《人物册》中的一幅為最早。那時,他雖然已有大名,仍不免遭到一些人的攻擊嘲笑。他在北平藝專授課,課間總是坐在教室一角,不去教員休息室,以避是非[13]。但心中不平,不免在詩、畫和篆刻中流露。印文"流俗之所輕也"即一例。他也曾用"人譽之,一笑;一罵之,一笑"表示超然態度,但"一笑"的後面,總還有些不舒服。王方宇曾比較過三件《人罵我我也罵人》,其中兩件人物表情呈怨忿狀,一件則面帶笑容,似乎消融了氣惱,頗有詼諧感[14]。被人罵而還之以罵,本乎人的自衛本能和意識,在人與人關係中是很普遍的。"人罵我我也罵人"和"人罵之,一笑;人譽之,一笑",構成齊白石性格的矛盾性和豐富性。"我也罵"是情感化的,"一笑"已有理性的支配,而笑着說"我也罵",則更多了些省悟和幽默。但即便描繪了憤懣表情的畫面,也都帶有兒童般的率真,人們感受到的,首先不是他"也罵人"的態度,而是他毫不掩飾、近乎粗率的性格本身,以及"返老還童"的天真。齊白石晚年,常把自己的純真化為審美對象——非出於自覺,乃源乎自然。他的印章"吾狐也",邊款刻:"吾生性多疑,是吾所短"云云,公開告訴人自己像"狐",就像小孩子說"我心眼特別多"那樣,可令聽者一笑。人們在真誠面前,至少能得到一種精神舒解。

人罵我我也罵人

掏耳圖

《却飲圖》描繪勸酒與推却。兩個老人對飲,執壺者斟酒,却飲者躲閃。題曰:"却飲者白石,勸飲者客也。"他請客人喝酒,却賓主顛倒,勸飲者反被勸飲。面對這有趣的場面,誰不莞爾?《醉歸圖》畫一小兒扶一老人醉歸,題:"斯時也不可醉倒",分明已經醉倒,還說"不可醉倒"!《歇歇》(有時題作《也應歇歇》)自記"用雪个本",但完全是白石風格。累了要歇歇,是人的自然欲求。這最平常的情景一經白石老人描繪,就有了新鮮的含義:勤奮、辛勞者的自我勸慰。一九三二年正月,其得意弟子、五十五歲的瑞光和尚逝世,他到蓮花寺哭奠之後,仍很難過。心想"人是早晚要死的,我已是七十的人,還有多少日子可活?這些年,賣畫教書,刻印寫字,進款却也不少,風燭殘年,很可以不必再為衣食勞累了",於是畫了一幅《息肩圖》,并題詩說:

眼看朋友歸去拳,哪曾把去一文錢。
先生自笑年七十,挑盡銅山應息肩。

"挑盡銅山"即掙盡錢的意思。掙到七十了,可以息肩不干了。但他終未息肩歇手，依然刻畫掙錢，身不由己。對這種矛盾態度，他刻了兩方印章自嘲："苦手"和"有衣飯之苦人"。心中有兩個聲音，一個說"該歇了"，一個說"干下去"。意識到生命的矛盾，他感慨；忘記或暫時忘記它，便一心工作。這也許是人生最普遍的矛盾。把它和生命意義聯係在一起思考，就發人深省。《也應歇歇》包涵着生命歷程的悲喜劇，幽默諧趣背後，是勞累和沉重。

《老當益壯》表現生命的另一面：積極向上，不服老，不認輸。畫中老人挺腰舉杖，一副"英雄"狀。但其姿情和年齡的矛盾，又讓人啞然失笑。生活中白石老人沉默寡言，畫中的自我充滿活力和情趣。人是豐富的，白石老人也是豐富的。

老當益壯

幽默而富於智慧的作品還有《耳食圖》、《掏耳圖》等，不盡述。

生命情趣與境界

齊白石是一個善於表現生命情趣的藝術家。

情趣是審美化的生命現象：人所感受、觀照的生命表現與境界。能表現生命情趣的人是熱愛生命、敏於生命歡樂的人。觀者大約都熟悉如下的畫面：葦草下，幾隻青蛙面面相對，似在商議什么；一群小雛鷄圍住了一隻蟈蟈，但不是要吃掉它，而是驚奇於它是誰，來自何方；河塘裏，幾條小魚正追逐一朵荷花倒影；荔枝樹上，兩個松鼠肆無忌憚地大嚼鮮果；螳螂舉刀以待，準備捕捉螞蚱；老鼠爬到秤勾上"自稱斤兩"，蝴蝶落到花瓣上"渡水"……幼小生命的活潑可愛，頑皮稚氣，它們的好奇和無防御狀態，以及格鬥、追捕、奔跳和偷竊等，都充滿了情趣，讓人感到生命過程的歡樂和詩意。

群戲圖

山水、花草也有生命情趣。這情趣來自藝術家和它們的"對語"。白石老人晚年多次畫兩朵置放在杯中的蘭花——花朵上下相向，題"對語"。李可染說："真使人感到是含笑相對，竊竊私語。"在中國傳統中，宋代繪畫崇尚詩意的表現[15]，喜歡刻畫自然物態的姿致風韵和富於戲劇性的細節，突出花鳥魚蟲的生命狀態和山水景色在不同時空裏的明滅變幻。元代以後，文人藝術家的興趣轉向筆墨形式與趣味。明代，一些畫家遠承宋代傳統，另一些畫家近學元人筆墨；至清，注重筆墨風格的傳統占據更大優勢，但也有些杰出畫家如華新羅、任伯年，上承林良，遠接兩宋，把自然情趣的描繪與寫意寄興結合起來。二十世紀倡導、推進這一傳統的不乏其人，最有成就和創造性的是齊白石。他熟悉以細

對語

節描繪見長的民間美術,又把握了高度簡練、强調意趣和形式筆墨的文人畫傳統,既能精緻地刻畫,又能大筆揮灑,把生命情趣的表現推向了一個新境界。

白石晚年的册頁小品,最能體現這一境界。如《楓葉秋蟲》,粗筆蘸洋紅畫幾片楓葉,再工細地描繪一隻小椿蟲——可以清晰見出它的花甲、六條細足和兩根觸須。畫面上的墨與色、粗與細、大與小,都成對比。將落的楓葉鮮艷欲滴,完整如初的椿蟲却有些寂寞;生命的晚歲竟是生命最燦爛的時刻。類似的作品還有《楓葉寒蟬》:一片落葉,一隻寒蟬。如此簡單的畫面,却讓我們看到、感到了生的飄零(蟬),死的燦爛(紅葉)、相依的短暫(蟲與葉)、相離的久遠(葉落蟲傷,俱化為泥土)……這不是對生命奥秘的透悟么!

蓮蓬熟了,荷葉枯了,大地空曠,水面無聲。一隻蜻蜓飛來,欲落未落(《蜻蜓蓮蓬》);秋風過後,枝上還剩下幾片貝葉,一隻蟬在枯枝上鳴叫,一個螞蚱在地上行走,一隻紅色蜻蜓從空中飛來。秋光明媚,貝葉的每一條細筋,蜻蜓翅上的每一小格網紋,都看得清清楚楚(《貝葉草蟲》)。這些極單純、極粗率又極工細的畫面,擯除了生活表層的混亂和繁雜,有如空潭印月,呈現出生命的清明。晚年的白石老人,一再描繪暮鴉歸樹。一九三二年所畫《暮鴉圖》(重慶博物館藏山水十二條之一),衹在畫面左下角勾内叢樹枝,把大部分空間留給天空與水面。暮色蒼茫中,群鴉陸續歸來。題唐人詩句:"為政清閑物自閑,朝看飛鳥暮飛還。"這畫是送給四川軍長王治園的,第一句有勸諫之意,第二句則内含禪機,進入了對生命自在狀態的觀照:朝飛暮還,人閑物静,去去還還,自自在在。詩畫輝映,直入大透脱的生命境界! 宗白華説:"人間第一流的文藝,縱然是同時通俗,構成它們的普遍性人間性,然而,光是這個,絶不能使它們成為第一流。它們必同時含藏着一層最深層的意義與境界,以待千古的真正知己。"[16] 白石的畫通俗而雅,并無深奥的寓意,但常常以其大純真通向"最深層的意義與境界"。理解它,也需要真正的千古知己。

來自山鄉的齊白石,較少道德理法的束縛,較多純真的感覺,與自然生命能够充分地感應共鳴。被固定程式麻木了感覺的摹仿家,是與這種感應共鳴無緣的。山水花鳥畫史表明,過多地摻入倫理意義,或完全依靠理法作畫,就難以真切地感受自然生命。明清以來的不少畫家過分着意於傳統理法、技巧與風格,壓抑了自己感受生命自然的本能與慧心,失却了對自然的敏鋭感應和原創的冲動。始終保留着較多野性

秋色佳

蜻蜓蓮蓬之一

暮鴉圖

生命力、對自然生命充滿依戀之情、學習規範但不作規範奴隸的齊白石,能把握到生命的詩情詩境,是很自然的。

白石老人有首《紅葉》詩:

> 窗前容易又秋聲,小院牆根蟋蟀鳴。
> 稚子隔窗問爺道,今朝紅葉昨朝青。

引口語入詩,極樸素,又極有味。"窗前容易又秋聲"有時又作"一年容易又秋風"。它寫出了自然的流動,亦有光陰流失、人生易老之嘆。但這感嘆没有感傷。秋風起了,秋蟲叫了,楓葉紅了,生命流動着。平淡却有聲有色,境界悠遠,富於内蘊。將此詩與《楓葉寒蟬》一類繪畫作品并讀,真是巨大的享受。

鄉土情結

出色藝術家的創作,都有不得不發的內在動因。齊白石盛期的繪畫,主要動因來源於鄉土情結。在中國繪畫史上,還没有一個人像白石老人這樣,把懷鄉戀土之情表現得如此動人,如此充分。

望白雲家山難舍

我們在前面介紹過,齊白石移居北京是不得已、不情願的。他對茹家冲富裕、閑適、吟詩作畫的生活十分滿意。《白石自狀略》記述他一九一九年離家時的心情說:

> 臨行時之悲苦,家人外,為予垂泪者,尚有春雨梨花。過黄河時乃幻想曰:安得有嬴氏趕山鞭,將一家草木同過此河耶?

他舍不得丢下家人和故土。定居北京後,他娶了妾,買了房,忽忽幾年,又兒女成行。他看到也得到了北京帶給他的好處,承認"故鄉無此好天恩"(印語);但在情感上,他始終想念家鄉,懷念那裏的親人、山川草木和一切。理智上的"留"與情感上的"去",常把他置於兩難的境地。初到北京的前八年,他年年歸省。那時落款寫的"四過都門"、"五過都門"……記録着他在北京的過客心理。《十出京華二絶句》云:"燕樹衡雲都識我,年年黄葉此翁歸"。自一九二六年父母逝世,他不大返湘了,思鄉之情却未稍减。詩中表達的鄉思,内容也含着感於戰亂、為家人擔憂，惦念親朋故友，感嘆身世飄泊，懷念家鄉的山川風物等等。有一首《老少年》詩，集中體現了這複雜的情感：

老少年紅燕地涼，離家無處不神傷。
短牆蛩語忽秋色，古寺鐘聲又夕陽。
却憶青蓮山下雨，怕言南岳廟邊霜。
何時插翅隨飛雁，草木無疑返故鄉。

繪畫不能像詩歌那樣直抒胸憶，但所畫内容與題跋往往透露着這種動機。如畫瓜，題"桑蔭的瓜，萍翁有家，丁巳年前山居可誇。"畫剪刀草，題"卅六紅鱗久斷書，故鄉消息近何如。草根縱似并州剪，兩字思家怎剪除？"有一幅《白石老屋舊日圖》，描繪一老人奔向山中老屋，屋前正有一小兒出迎。題詩云：

老屋無塵風有聲，刪除草木省疑兵。
畫中大膽還家去，稚子雛孫出户迎。

亂離的恐惶，老屋的親切，家人的喜悦，都出自幻想，但都那么真切。"刪除草木省疑兵"的余悸，和畫中相迎場面的歡樂，把一個老人的鄉思刻畫得多么感人！

齊白石思鄉與他在城市的孤獨感有一定關係。在北京，他常感到自己像失群的雁，無所歸依。《題畫一燈一硯》詩云：

無計安排返故鄉，移干就濕負高堂。
强為北地風流客，寒夜孤燈硯一方。

"寒夜孤燈硯一方"，以及"萍踪飄蕩身何着"、"四顧荒涼一客身"這樣的詩句，都描述了十分孤獨的心境。已定居大城市、生活有了保障的齊白石，却自覺身心相隔，客居荒凉。他的印文"心與身為仇"也包含着這類情感。社會學家説，鄉村社會"是一個熟悉的社會，沒有陌生人的社會"⑰，城市就不同了，人們各做自己的營生，相鄰而居，未必相識。獨家的四合院或單元房，比起農村的宅院圍牆更加使人隔膜。喧鬧的城市盡是陌生的面孔，人們的關係，衹靠親情、近臨已經遠遠不够了。挣錢機會多了，喜人的金錢背後是更多更深的疏離與冷漠。齊白石賣

白石老屋舊日圖之一

清白家風圖

稻草雛鷄

畫是以尺論價的，在無情買賣之下，以畫會友的機會少了，人情味淡薄了，肝膽相照的朋友至交，畢竟寥寥無幾。獨孤感之生，不可避免。耐人尋味的是，如果白石老人滿足於金錢收入和城市生活，不再刻骨銘心地思念故鄉，也許畫不出這么多精彩的作品，成不了這樣的大畫家。藝術真是一種特殊的精神生産！

在詩歌裏充分抒發思鄉之苦的白石老人，在繪畫中變為對故鄉風物的吟頌：一切都變得美好、歡悦，再無孤獨與苦澀。為什么會如此？第一，齊白石的鄉思，主要是苦於懷念，并没有變作深刻的生存痛苦；第二，其鄉思根植於對家鄉生活與大自然的愛，愛及於生命對象尤其自然對象，必演為温情的頌美；第三，中國藝術的傳統，是將人生的痛感化為散淡，消融於詩意的自然，或凝為中性的形式意味，不像西方藝術那樣直面對抗，最後聚為崇高。齊白石承繼着這一中國傳統。

在一首《菜園小圃》中齊白石有“飽諳塵世味，尤覺菜根香”之句。“塵世味”指城市的冷漠世態；“菜根香”暗喻鄉村的田園生活。不喜“塵世味”但必須吃下它，留戀“菜根香”却不得不離開它，這便是齊白石的身心兩難。《遊西山道中羡牧牛者》詩中説“牧童手有犁牛在，祇有農家心太平。”從另一面道出了類似心理。他何嘗不知，飽受兵匪之苦和天灾摧殘的農家，哪裏會有真的太平！如此認定，非出於眼前現實，乃出於傳統心態和根深蒂固的鄉土情結。從鄉村來到大城市的齊白石，不習慣充滿競争、傾軋、爾虞我詐的社會環境，相比之下，他還是覺得農家太平。《齊白石作品集》第一集中的《群魚》，畫多條小青魚款款游來，題詩曰：

滿地家鄉半窖師，你隨流水出渾池。
滄波亦失清游地，群隊無驚候幾時？

到處是捕捉，到處是渾池，大江大河也不是“清游地”了。何時才會有不驚恐的日子？同一畫集的《桃源圖》，畫桃花瓦屋，掩映在青山緑水間，題曰：

平生未到桃源地，意想清溪流水長。
竊恐居人嚇破膽，揮毫不畫打魚郎。

“桃園”即白石中的太平農家。具有諷刺意味的是，見了打魚的人也嚇破膽的桃源人，哪裏還有什么清福可享？即使在想象的美好境界裏，也驅逐不了心中不安的陰影。齊白石多次畫《孤舟圖》[18]，刻畫一小舟顛簸在浩瀚的波濤中，題曰：

過湖渡海幾時休，哪有桃源隨遠遊。
行盡烟波身萬里，能同患難衹孤舟。

生在內陸的人初到海上，首先感到的是滄海浩大，個人渺小，以及舉目無親、飄泊無定的孤獨。齊白石遠遊時多次渡海，有過類似感受。他離開家鄉到北京，也有孤舟烟波之感。就他在性情而言，寧肯安適於"落日呼牛見小村"的山鄉，絶不登冒萬險於一擲的海船。但生存的需要和不可逆轉的社會變遷，終於把他抛到烟波風浪的"孤舟"上。從歷史的視點察看，齊白石對故鄉和農村生活的懷念，乃是對一個古老文明的依戀。他直覺地感到，伴隨"過湖渡海"和"無窮搏擊"而來的，是布滿羅網、防不勝防的世界。"飽諳塵世味，夜夜夢星塘"，"星塘"所代表的鄉村社會，就成了他永遠留戀的桃花源了——盡管他知道這美麗的桃源已不存在。

傳統中國是典型的大陸農業經濟，"日出而做，日落而息，鑿井而飲"的生存方式，派生出濃厚的鄉土意識。以農為主的民族，世代定居，很少遷移；定居生活强化血緣關係，血緣關係則是鄉土觀念的深根。"遊牧的人可以逐草而居，飄忽無定，做工業的人可以擇地而居，遷移無礙，而種地的人却搬不動地，長在地裏的莊稼行動不得"，因此，農民"常態的生活是終老是鄉"[19]。靠海生存的國家和民族則不同，他們捕魚、經商，習慣於飄泊和冒險，鄉土觀念相對淡薄。梁啟超很稱贊這種靠海生存的"海上文明"，說"彼航海者，其所求固在利也。然求利之始，却不可不置利害於度外，以生命財產為孤注，冒萬險而一擲也。"[20]內陸農業文明重經驗理性、宗族觀念、鄉黨意識、自足自得、拘謹守成諸特點，對現代工業文明的進程有所不利，但它造就的另一些特色如勤儉質樸、熱愛和平、親近自然、喜歡和諧等等，保留着較多人的善良本性，有益於人類在地球上的長久生存。而與厚土意識相關的鄉土情結，曾經是許多不朽藝術如中國詩和中國畫產生的內在機制。齊白石鄉情詩畫的魅力和意義，是否也可以由這些方面去理解呢？

渡海孤舟圖

葫蘆天牛

夕陽漁村圖

風格與個性

藝術風格，主要受兩種力的制約，一是傳統圖式，二是藝術家本人的氣質、修養和追求目標。中國畫具有很强的傳承性與規定性，在一般情况下，畫家的風格創造，都受到傳統圖式和傳統視覺習慣的限制。齊白石是二十世紀傳統型中國畫的大師[21]，他的杰出，在於修正和豐富了傳統圖式，推動了中國繪畫的現代化。他賴以創立自己風格的内在因素，主要是氣質個性和生活經驗。齊白石的山水、花鳥、人物等，都各有自己的面貌，限於篇幅，這裏衹就其總體風格及它們與相應傳統、與齊白石氣質個性的關聯作一簡要描述。

一、單純而樸

齊白石成熟期的作品，都很單純：不描繪複雜的事物，不作堆砌構圖，不畫山重水複的景色，不畫人群場面，不求繁雜的筆法，不施眼花繚亂的彩色……看他的作品，不費猜測，不勞累，但并無單調感。

單純意味着視覺形式的純净和凝練。齊白石曾經追逐過繁複，經歷了簡—繁—簡的過程。這一過程的完成，首先得力於學習傳統，得力於對徐渭、八大、金冬心和吴昌碩等大師的研究借鑒。造成單純風格的内在因素是畫家的性格：他真率、專一、待人處事和思考問題不善曲折，尚簡潔與直接。

齊白石年輕時作木石雕刻，能精細繁複。但較晚的雕刻作品，如本書第一卷介紹的石雕小屏風等，則趨於概括簡練。他學習肖像和工筆花鳥，也一度精細複雜，這主要出於風格的師承、藝術門類的規定和顧主的要求，而非個人興趣和主動選擇。遠遊後，齊白石的經濟負擔減輕，擇選形式風格的意識增强了，很快就改畫寫意。在自傳和題記中，他不止一次説不喜歡工細。這種興趣指向，源於他的氣質個性。他的工筆草蟲，往往要配以粗筆花草，即使是工細之極的貝葉草蟲，也不繁複。精細、逼似、微妙，依然單純，表現出一個大藝術家的風範。

樸，指平易、質樸。齊白石的繪畫，構圖、造型、筆墨、境界都不求險奇、狂怪或冷澀，而以質樸為本色。齊白石的“樸”不同於吴昌碩的“古樸”、“渾樸”，他没有吴氏的古文化修養，而衹是將自己的質樸天性融會到形式風格中去。他一生崇敬八大，但始終學不到八大的奇倔、高貴和狂怪。形貌可以仿得很像，氣質是深層的東西，仿不到。白石早期繪畫多摹仿，氣質個性被掩蓋着，盛期繪畫充分展示了個性，明了、曉暢、親切、平樸諸特色清晰地呈現出來。潘天壽也曾學習八大和吴昌碩,後沿着自己的個性步入險奇、雄怪和宏大。齊白石和潘天壽都出身於農家,都從《芥子園畫譜》入門,但氣質個性(以及經歷等)不同,一個平樸自然,一個沉雄奇倔。潘畫近於他喜歡的韓愈、李賀詩——"横空盤硬語",物狀多奇,用語多晦僻。齊白石畫近於他喜歡的白居易、陸游——"平曠如匹夫匹婦語",淺中有深,令人咀味。齊白石始終是一個普通人,從無驚世駭俗之想,没有溥儒那樣的落魄貴族氣,没有張大千式亦仙亦俗的曠達豪爽,也没有黄賓虹博覽群書、論古説今的學者風度……人格特征與圖式風格的聯係雖難以説清,却是不容置疑的。

二、平直而剛

齊白石繪畫(及書法、篆刻等)在結構、筆法上都偏於平直。視覺圖像特别是筆綫形態的平直感構成其藝術風格的一大特色。吴昌碩用筆圓渾拙厚,齊白石用筆硬直剛健。吴氏相對内斂,齊氏相對外張,一沉凝藴藉,一率真遒勁。

白石繪畫的平直以山水畫最著。作山形、房屋、舟橋等,不喜曲折頓挫,而以痛快為宗。牽牛花、松、梅、桃、杏及蛙、蟹等,也挺拔有力,從不柔軟、纖弱,或過多蟠曲。潘天壽繪畫也多直綫,但直而方,多折落,與白石的剛直活潑不同。前者理性勝於情感,後者情感勝於理性。這種方而平直筆法與齊白石的書法有很大關係。他中年後多寫《天發神讖碑》、《爨龍顔碑》、《三公山碑》和李北海,以蒼勁的斜勢出鋒,與脱胎於石鼓而得渾樸雄拙的吴昌碩,出入於隸書、化圓為觚的潘天壽淵源各异。齊白石晚年篆刻最喜秦權,取其"縱横平直,一任天然"㉒,七十歲後的篆刻作品,大都用平直的冲刀,剛猛痛快,而非含而不露的力,這正與他的繪畫風格相呼應。

傳統制約着風格,氣質個性也制約着風格。兩者又互相作用與影響。一般論者常强調傳統方面,忽視氣質性格方面。白石摹畫了那么多八大作品,但他的平直筆路和八大的奇宕多曲相差多么遥遠!狂而婉、顛而正,將生命的痛感包在典雅的恣肆中,是八大的風采;直出直入,快活自足,無絲毫冷漠、飄逸,總是散發着鄉民的氣息,是齊白石的面目。先天、後天共同造就的深層精神結構,制約着藝術家把握世界的方式。白石詩曰:"篆刻如詩如别裁,削摹哪得好懷開。欹斜天趣非神使,醉後昆民信手來。"操刀向石,信手揮刻,是以傳統功夫為前提的,但同時,這也是性格的使然,二者合而為一,難解難分。

三、鮮活而趣

蟹

大匠之門

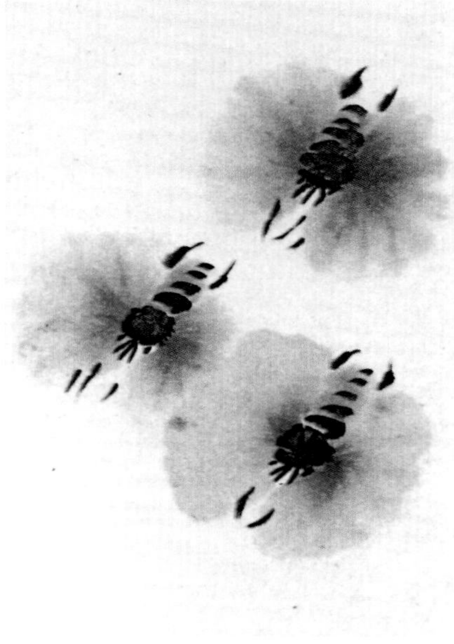

蜜蜂(局部)

雙壽

齊白石盛期繪畫的一大特點,是充滿生機與活力。不憂鬱悲哀,不柔弱頹靡,健康、樂觀、自足。背着酒葫蘆的李鐵拐,看上去像一個粗魯的流浪漢;捉鬼的鐘馗,衹有世俗的强悍和豪爽。偷桃子的東方朔,盗酒的畢卓,玩硯的蘇東坡,拜石的米芾,作畫的石濤,都被畫得動作誇張,憨態可掬,活潑有趣。花鳥魚蟲更是如此。包括工細的草蟲,都不是死的標本,而是跳的、爬的、飛的、搏擊的、鳴叫的新鮮生命。游動的草蝦,戲水的鸕鷀,捕蝶的家猫,争食的小鷄,大食鮮果的松鼠,莫不淋灕盡致地呈現出生命的活躍與情趣。賀天健説:"過去我們畫蜜蜂,畫的翅膀很清楚,但畫出來的不是活的東西,好像是死的或者模型。而他的蜜蜂却能畫出生命來,似乎還能聞得出味道來。所以他的畫裏是香、聲、色、味四者俱全。"[23]藝術家感受生命,是各各不同的。你的描繪活潑如生,他的描繪也許形同槁木。這種差异,也體現在境界、氣氛和筆墨中。

鮮與活,還突出地表現在齊白石對色彩的運用上。傳統寫意畫以水墨為本,色彩衹作為陪襯。齊白石重視色彩,喜艷色,但"艷不嬌妖"。他畫壽桃、荔枝、櫻桃、紫藤、紅梅、紅荷、辣子、翠鳥等,多用純度很高的紅、緑、藍、紫,畫面響亮、明快、刺激,但由於他巧妙地以墨和空白加以間離,强烈的色彩又能相和諧。在通常情况下,强調水墨黑白意味着貼近了文人藝術家的淡泊,趨向"雅";强調鮮艷色彩意味着與世俗世界更親近的態度,趨向"俗"。齊白石兼容了文人藝術與民間藝術,調和了雅與俗,把高雅的淡泊與生命的鮮活艷美融為一體,這就是他——體現了傳統也表現了生命個性的齊白石。

注釋：

①參見郎紹君《論中國現代美術》第八八、八九頁，江蘇美術出版社，一九八八年，南京。

②參見王方宇、許芥昱《看齊白石畫》第三一頁，臺灣藝術圖書公司，一九七九年，臺北。

③一九三七年，白石七十五歲，這年春，他聽了一個算命先生的話，為避灾求吉，自長兩歲。為了與白石自己的算法一致，本文依他自稱的年齡計算。參見《白石老人自述》第八六頁，岳麓書社，一九八六年，長沙。

④齊白石在三十年代懸於客廳的《賣畫與篆刻規例》有一段說："山水、人物、工細草蟲、寫意蟲鳥，皆不畫。指名圖繪，早已拒絕。"參見王森然《回憶齊白石先生》，《美術論集》第一輯，人民美術出版社，一九八二年，北京。

⑤它們是：為吳北江畫的《蓮池書院圖》，為楊雲史畫的《江山萬裏樓圖》，為宗子威畫的《遼東吟館談詩圖》，為李釋堪畫的《據蘭填詞圖》等。參見《白石老自傳》第八五頁及本書第一卷《齊白石傳略》。

⑥此據筆者訪問齊良遲先生時筆錄之口述。

⑦參見郎紹君《二十世紀中國畫家研究叢書：齊白石》"經驗世界"章，天津楊柳青書畫社，一九九六年，天津。

⑧參見郎紹君《論中國現代美術》第一五——二三頁，江蘇美術出版社，一九八八年，南京。

⑨"遲遲"指白石第五子齊良已。

⑩參見本書第八卷齊白石《畫蟋蟀記》。

⑪宗白華《常人欣賞文藝的形式》，見《美學與意境》第一八一頁，人民出版社，一九八七年，北京。

⑫參見勃納德·利維古德《人生的階段》，新華出版社，一九八六年，北京。

⑬參見王森然《回憶齊白石先生》，《美術論集》第一輯，人民美術出版社，一九八二年，北京。

⑭王方宇、許芥昱《看齊白石畫》第三九—四一頁，臺灣藝術圖書公司，一九七九年，臺北。

⑮參見郎紹君《蘇軾與文人寫意》，《中國藝術研究院碩士論文集·美術卷》，文化藝術出版社，一九八四年，北京。

⑯宗白華《美學與意境》第一七九頁，人民出版社，一九八七年，北京。

⑰費孝通《鄉土中國》。

⑱日本須磨、湖南省博物館、北京市文物公司等，都藏有同一母式的作品。

⑲同⑰。

⑳梁啟超《地理與文明之關係》，見《飲冰室合集》之十。

㉑參見郎紹君《論中國現代美術》第八七頁，江蘇美術出版社，一九八八年，南京。

㉒《白石印草自序》，一九二八年。

㉓賀天健《看白石畫展後的感想》，見力群編《齊白石研究》第一一五頁，上海人民美術出版社，一九五九年，上海。

繪畫

一　漁翁　一九二八年　縱一三四・五厘米　橫三三・四厘米

二 得財圖 一九二八年 縱九三厘米 橫四三厘米

三　得財　約一九二八年　縱九六·五厘米　橫四四·五厘米

四　白衣大士　一九二八年　縱一三六厘米　横三六厘米

五　柳橋獨步　一九二八年　縱一三九厘米　橫九二厘米

六　山水

一九二八年　縱一三五・五厘米　横三四厘米

七　三壽圖　一九二八年　縱一一二厘米　橫五二厘米

八

白蕉山居

一九二八年　縱一二〇厘米　橫五五厘米

九　雪山策杖　一九二八年　縱七八·五厘米　橫三四·二厘米

一〇　青松白屋圖

一九二八年　縱一五六厘米　橫四四厘米

一一 溪橋春柳圖 一九二八年 縱一六七厘米 橫四二厘米

一二　瀑布圖　一九二八年　縱一八五厘米　橫四八厘米

一三　枇杷　一九二八年　縱一三四厘米　橫三三厘米

一四 松鷹圖

一九二八年 縱一三五·八厘米 橫三三·四厘米

一五　仙鶴　一九二八年　縱一七二厘米　橫四九厘米

一六　香遠益清圖　一九二八年　縱六六厘米　橫三三厘米

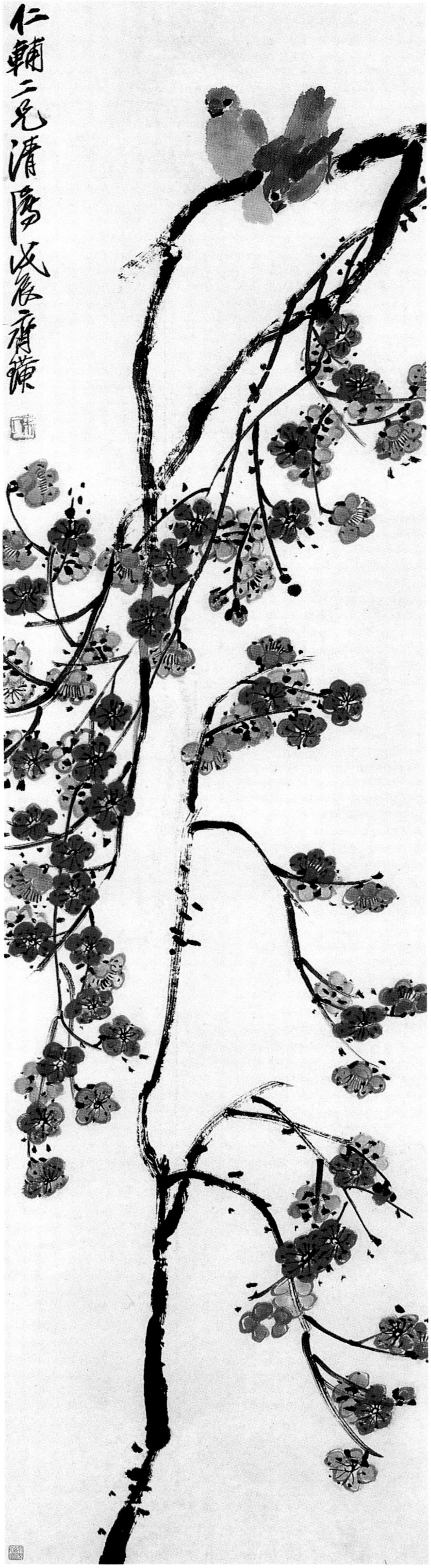

一七　梅花小鳥　一九二八年　縱一〇二厘米　橫三四厘米

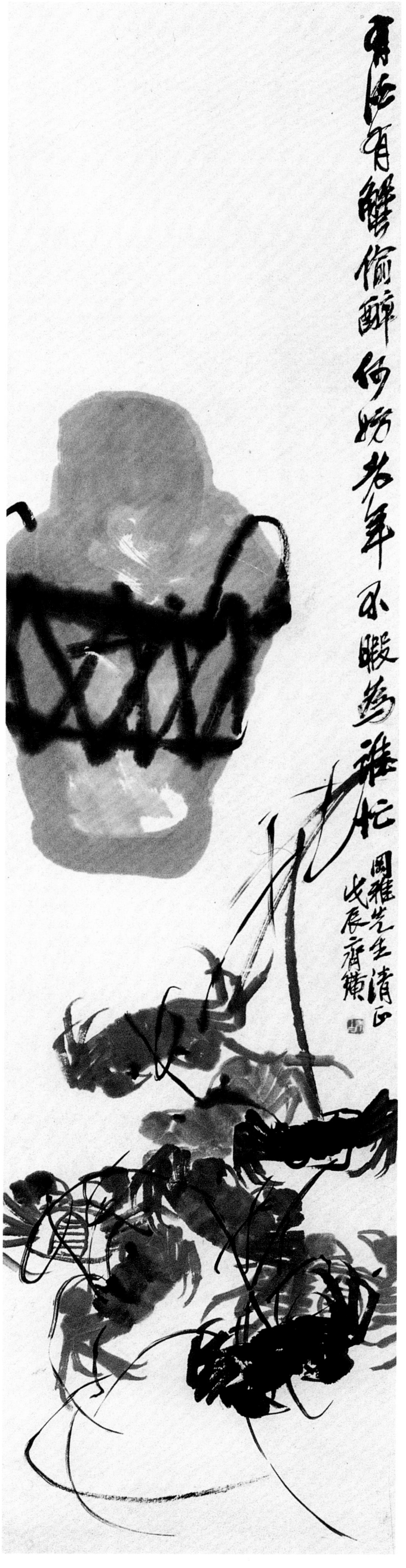

一八　酒蟹圖　一九二八年　縱一三五厘米　橫三三厘米

一九 梅石八哥 一九二八年 縱一三四厘米 横三三厘米

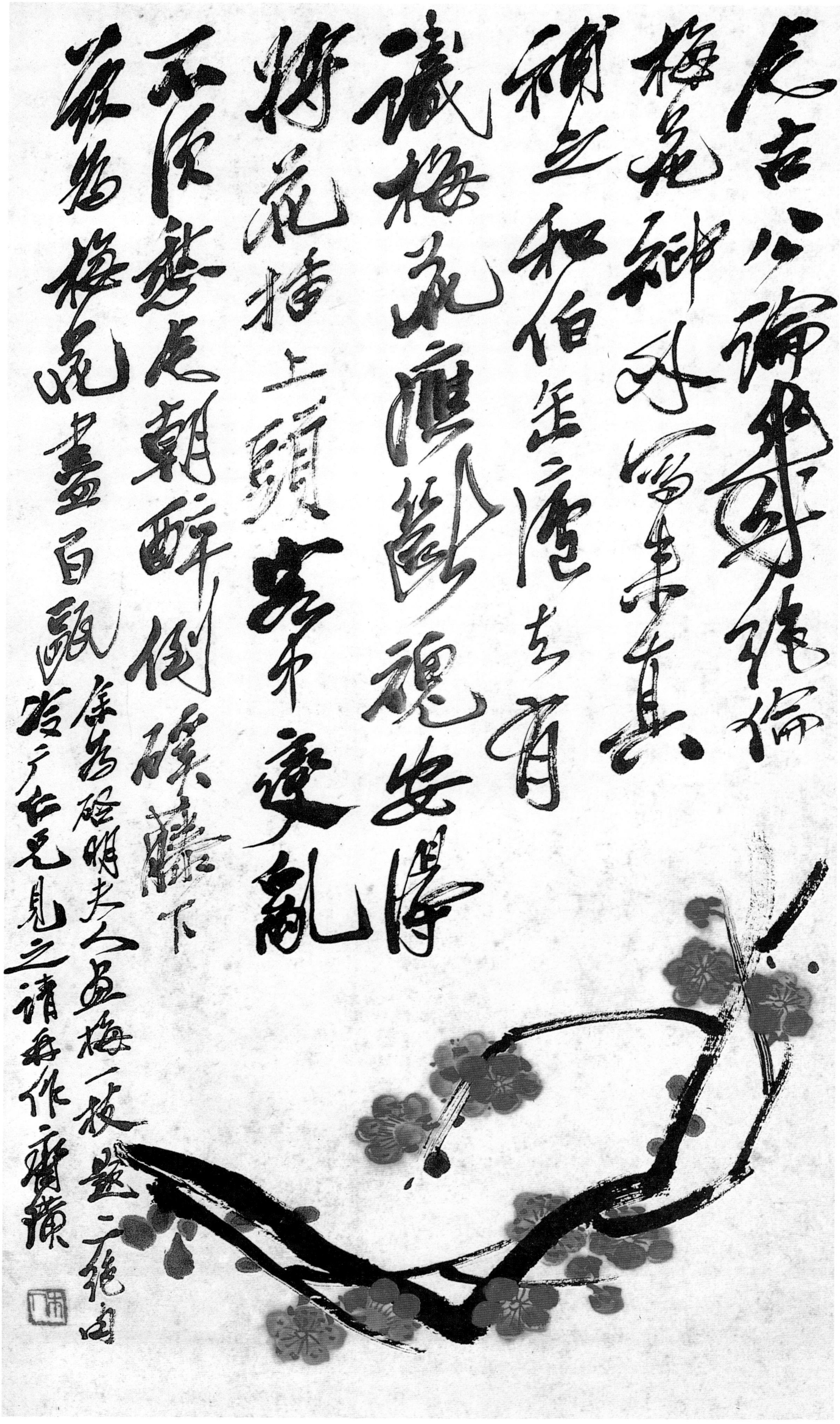

二〇 梅花

約一九二八年　縱五六厘米　橫三一厘米

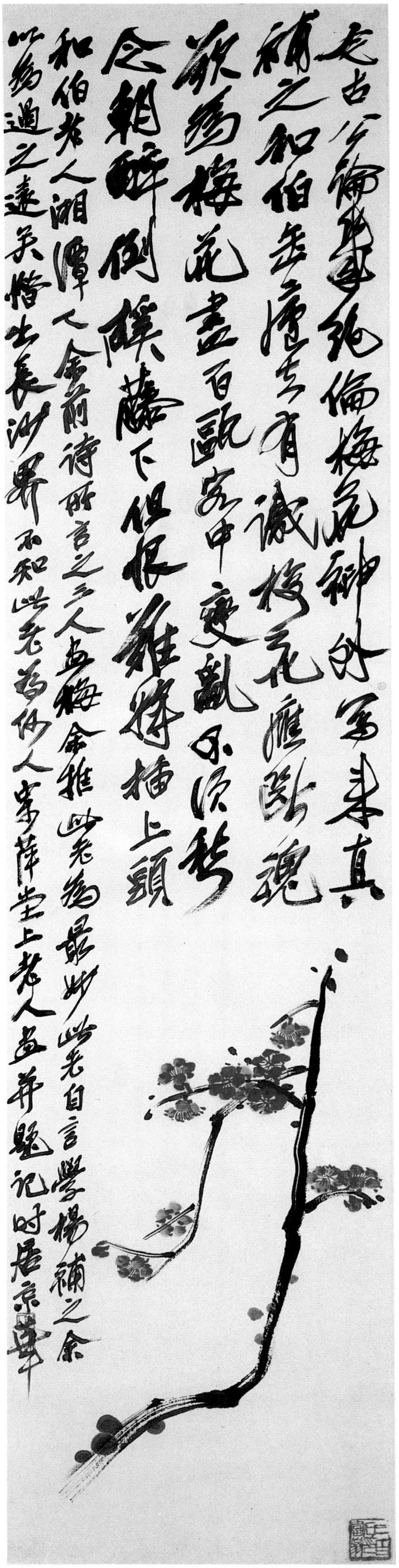

二一

紅梅 約一九二八年 縱一三六厘米 橫三三厘米

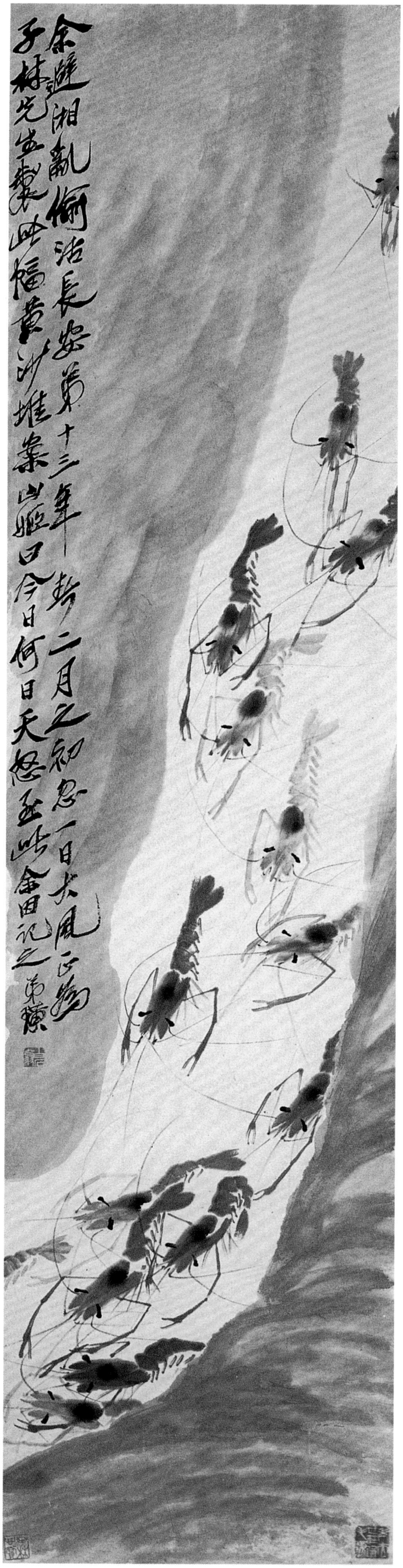

二三一　山溪蝦戲圖　一九二九年　縱一三七厘米　橫三三·五厘米

二三　鴛鴦荷花　一九二九年　縱一二四厘米　橫三二厘米

二四　蓮蓬翠鳥　一九二九年　縱一〇一・一厘米　横三三・六厘米

二五　菊花群鷄　一九二九年　縱一四八厘米　橫四一厘米

二六　藤蘿蜜蜂　一九二九年　縱一三五厘米　橫三五厘米

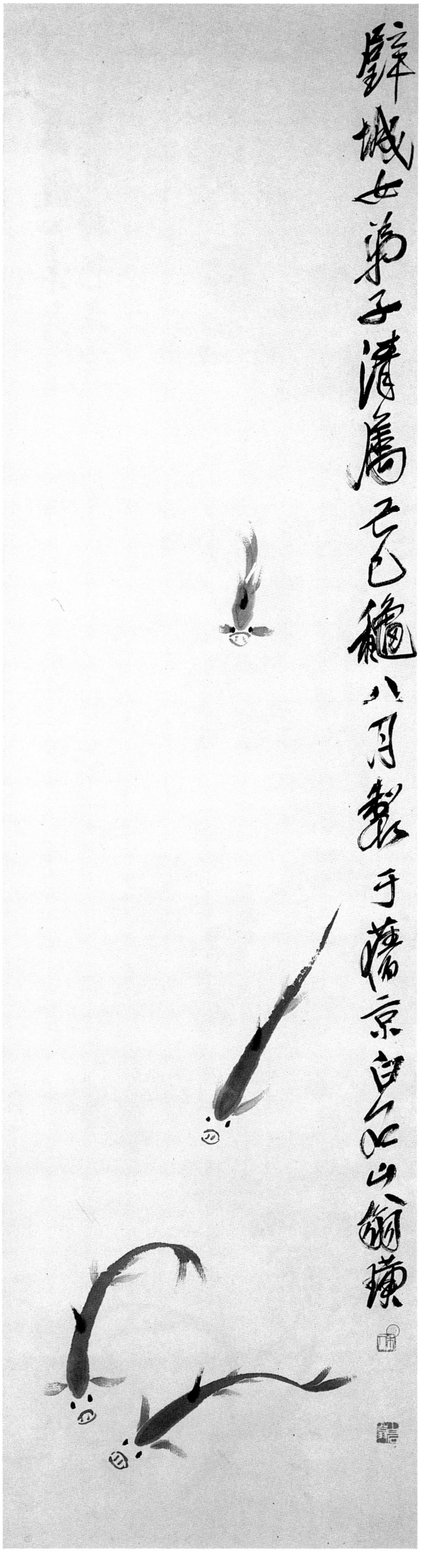

二七　游魚圖　一九二九年　縱一三二厘米　橫三四厘米

二八　海棠（花卉條屏之一）　一九二九年　縱一三六厘米　横三一厘米

二九　杏花　（花卉條屏之二）　一九二九年　縱一三六厘米　橫三一厘米

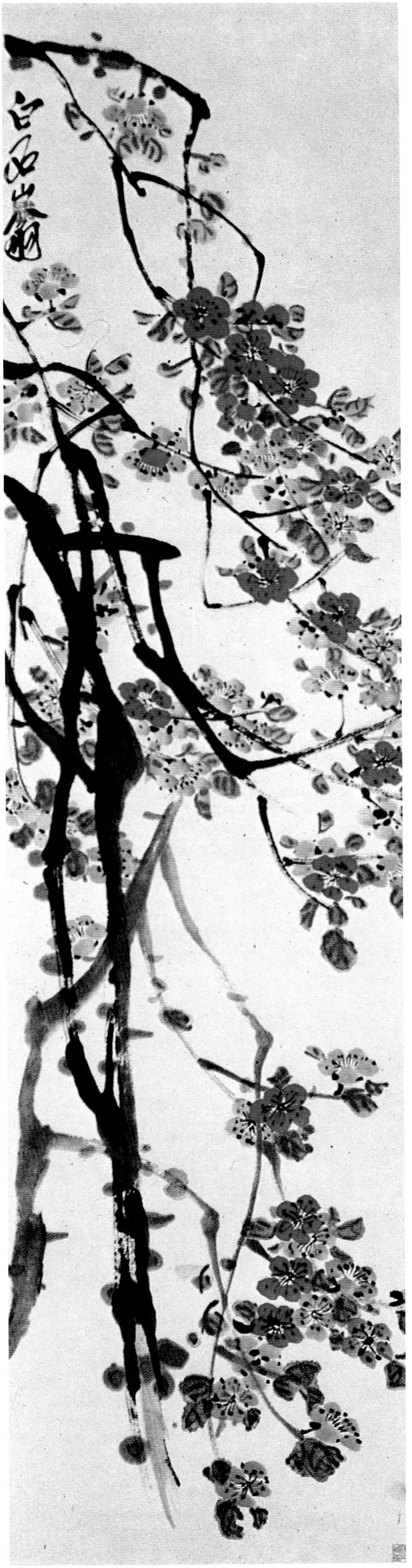

三〇 梅花（花卉條屏之三） 一九二九年 縱一三六厘米 橫三一厘米

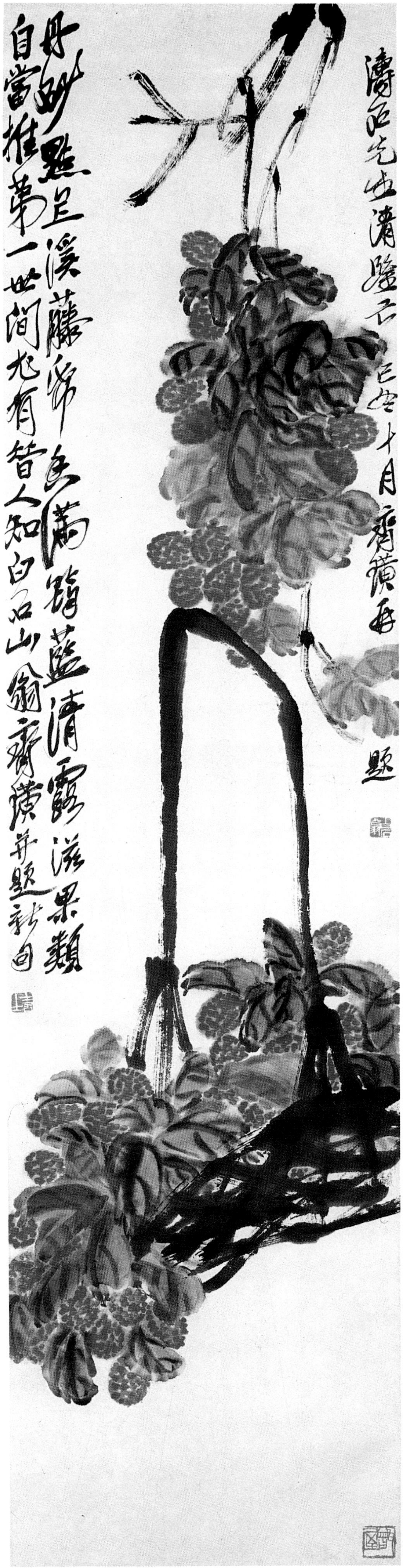

三一　香滿筠籃　一九二九年　縱一三七·七厘米　横三三·四厘米

三二　松鷹圖　一九二九年　縱一七七・五厘米　橫四七・五厘米

松鷹圖（局部）

三三 豆荚

一九二九年 縱一三二·五厘米 橫三一·五厘米

三四　紅梅（扇面）約一九二九年　縱一九厘米　橫五三·五厘米

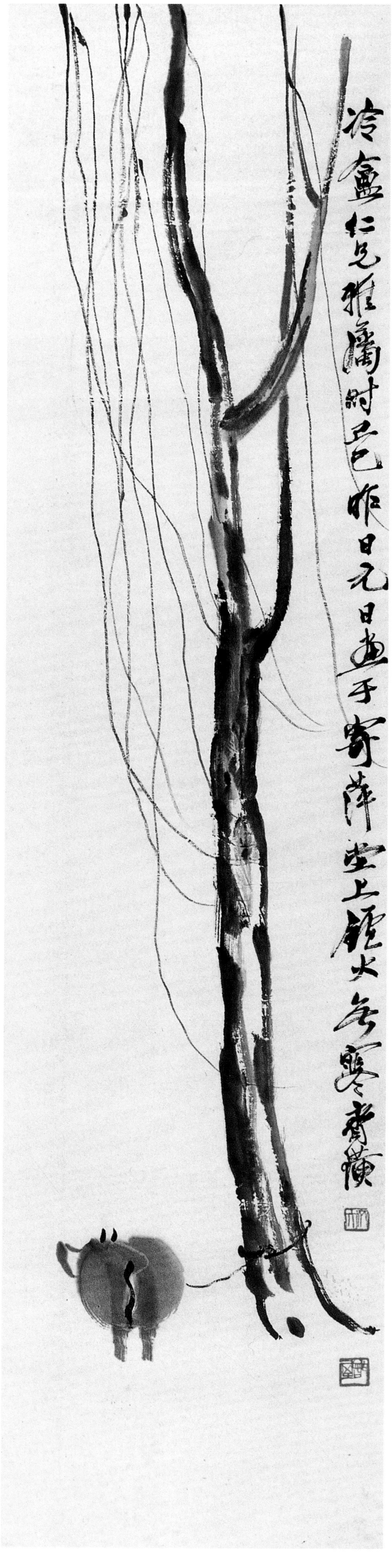

三五　柳牛圖　一九二九年　縱一五五厘米　橫三七·五厘米

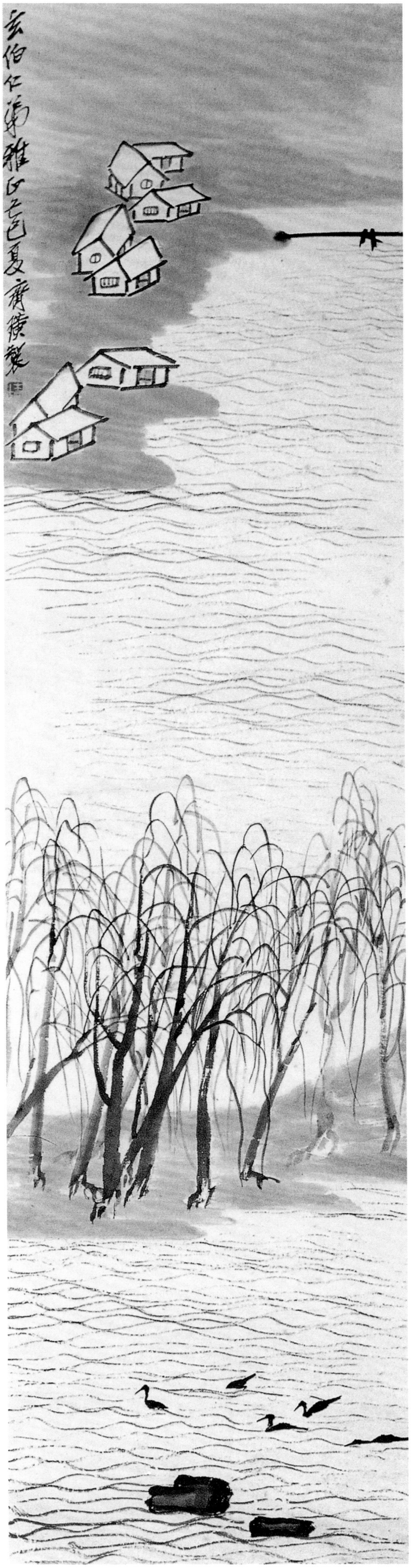

三六　柳塘游鴨　一九二九年　縱一三七厘米　橫三五厘米

三七 柳岸行吟圖 一九二九年 縱九四厘米 橫三四厘米

三八　放風箏（扇面）一九二九年　縱一八厘米　橫五四厘米

三九

愁過窄道圖

一九二九年　縱一〇三・五厘米　横四五・二厘米

四〇　秋水鸕鷀　一九二九年　縱一四七厘米　横五〇厘米

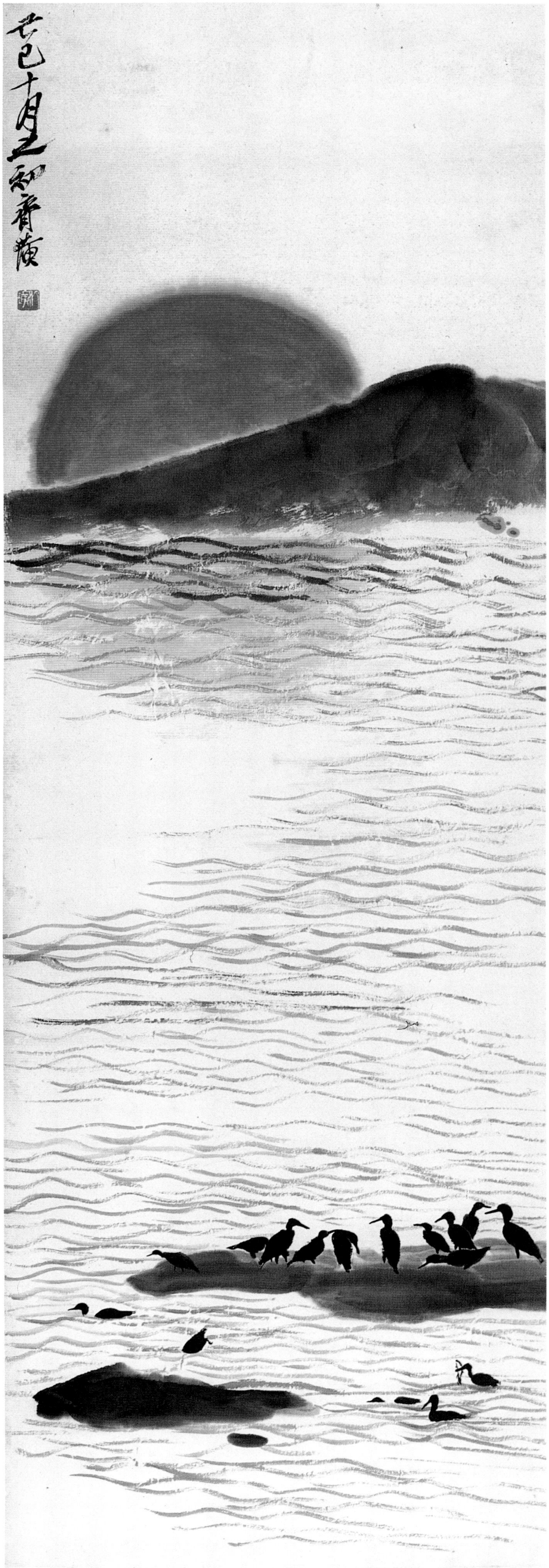

四一 無量壽佛 一九二九年 縱六六・七厘米 橫三三・八厘米

四二　蝦（扇面）一九二九年　縱一八·四厘米　橫五一·五厘米

四三　雨後雲山圖　約二十年代晚期　縱三六厘米　横一三〇厘米

治盦画友清鉴齐璜

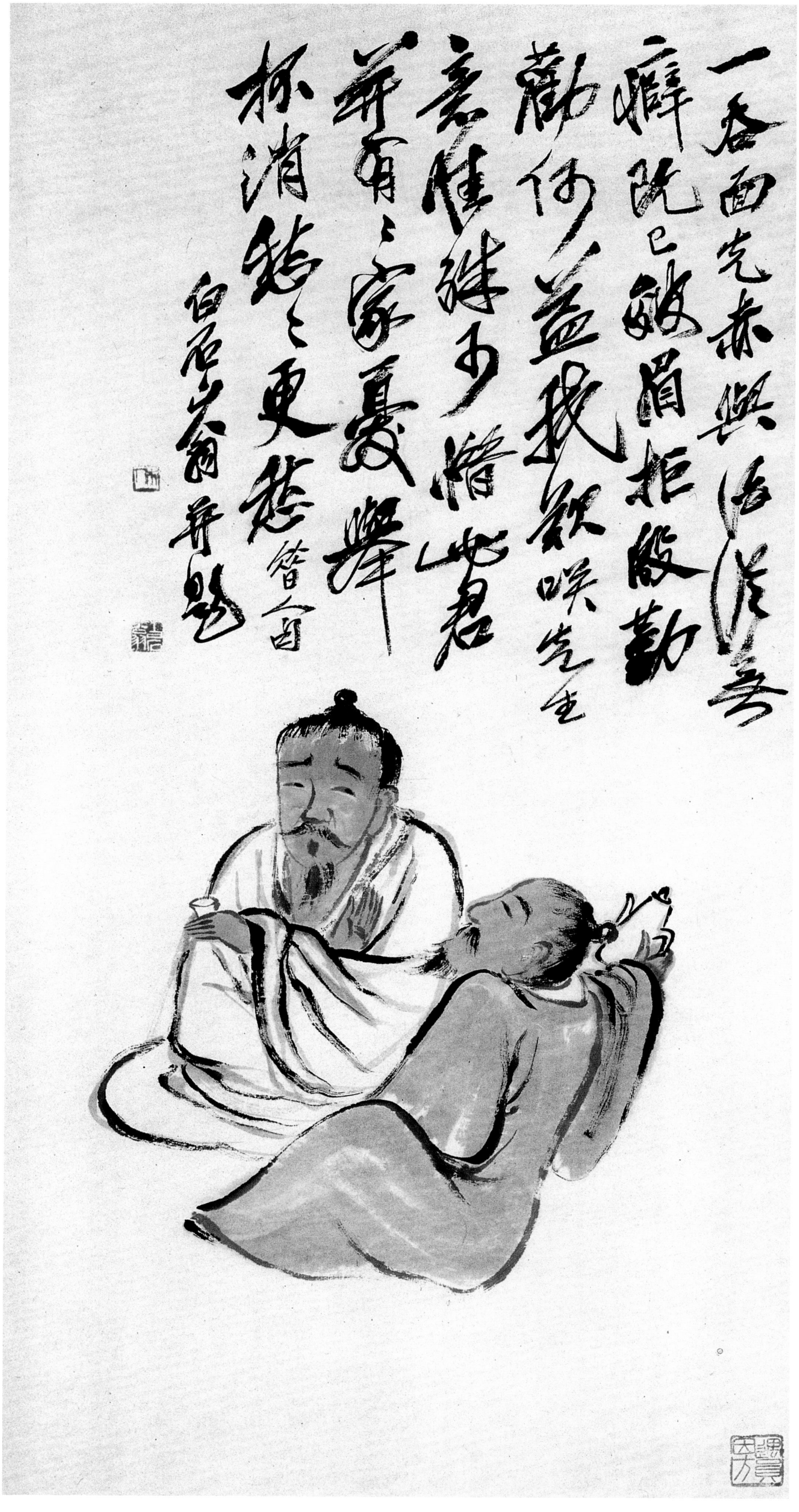

四四　却飲圖　約二十年代晚期　縱八九厘米　橫四五・五厘米

四五　無魚鈎留圖　約二十年代晚期　縱一四四厘米　橫三九·五厘米

四六　石村圖　約二十年代晚期　縱一六五厘米　橫六二厘米

四七　白石老屋　約二十年代晚期　縱一三五厘米　橫六四厘米

四八　柏屋圖　約二十年代晚期　縱一五〇厘米　横五八厘米

四九　孤舟　約二十年代晚期　縱六七厘米　橫四二厘米

五〇　悟説山舍圖　約二十年代晚期　縱六五厘米　橫一二五厘米

悟說山舍圖
啓明夫人清鑒 齊璜

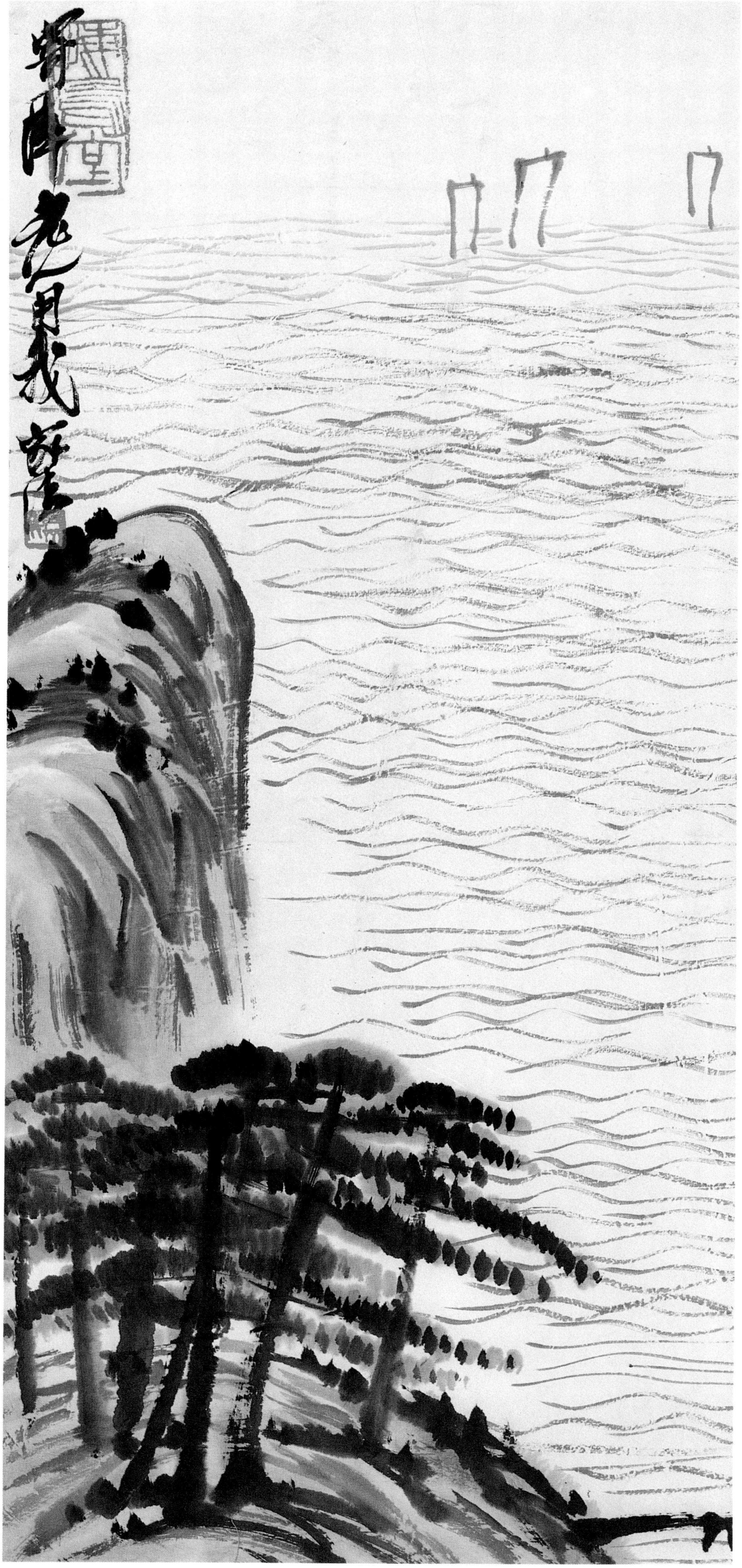

五一　山水

約二十年代晚期　縱六八厘米　橫三二厘米

五二　雨歸圖　約二十年代晚期　縱三九厘米　橫四三厘米

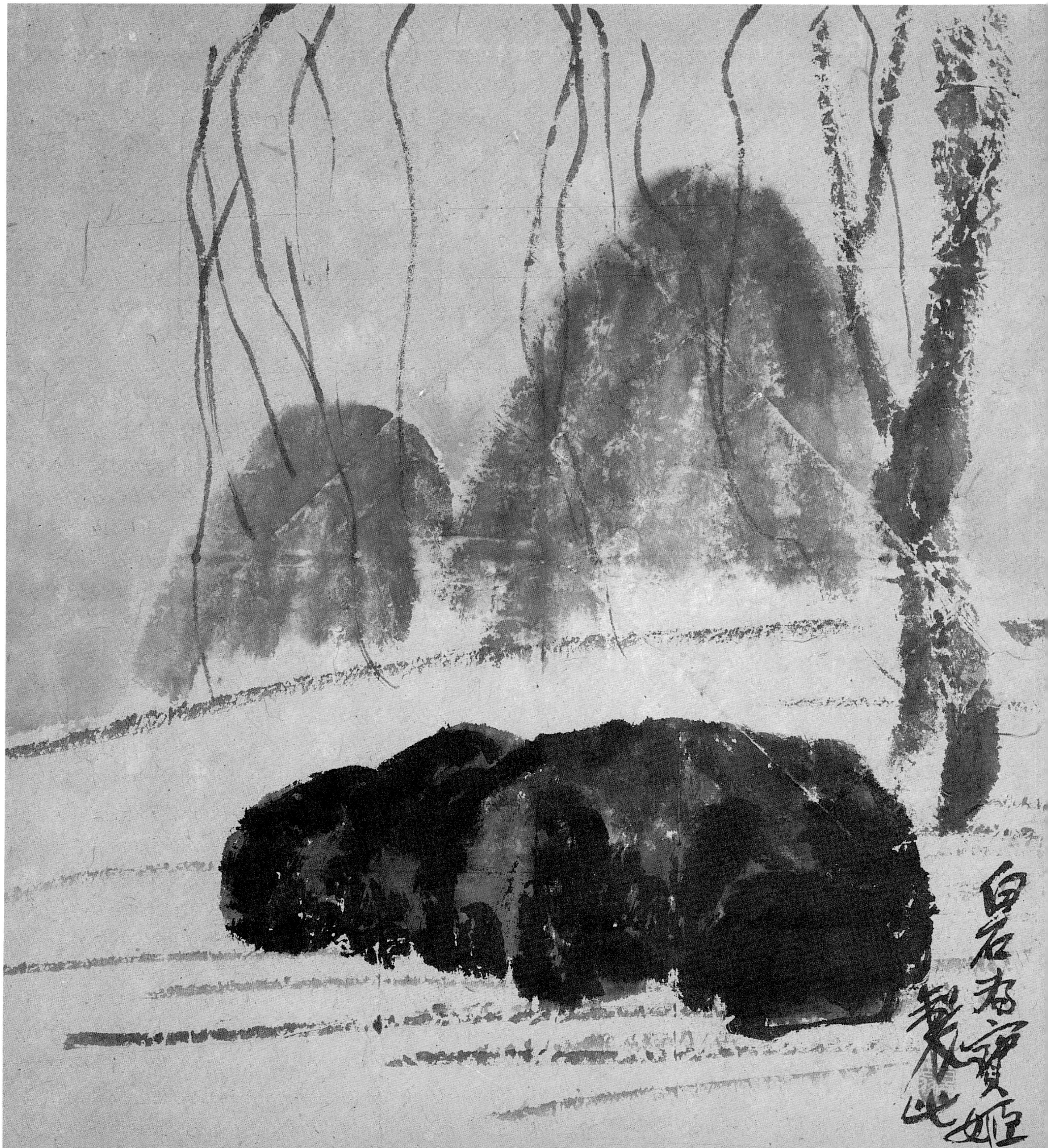

五三　柳樹山石　約二十年代晚期　縱四七厘米　橫四一·一厘米

五四　春山風柳圖　約二十年代晚期　縱一三八·五厘米　橫六二厘米

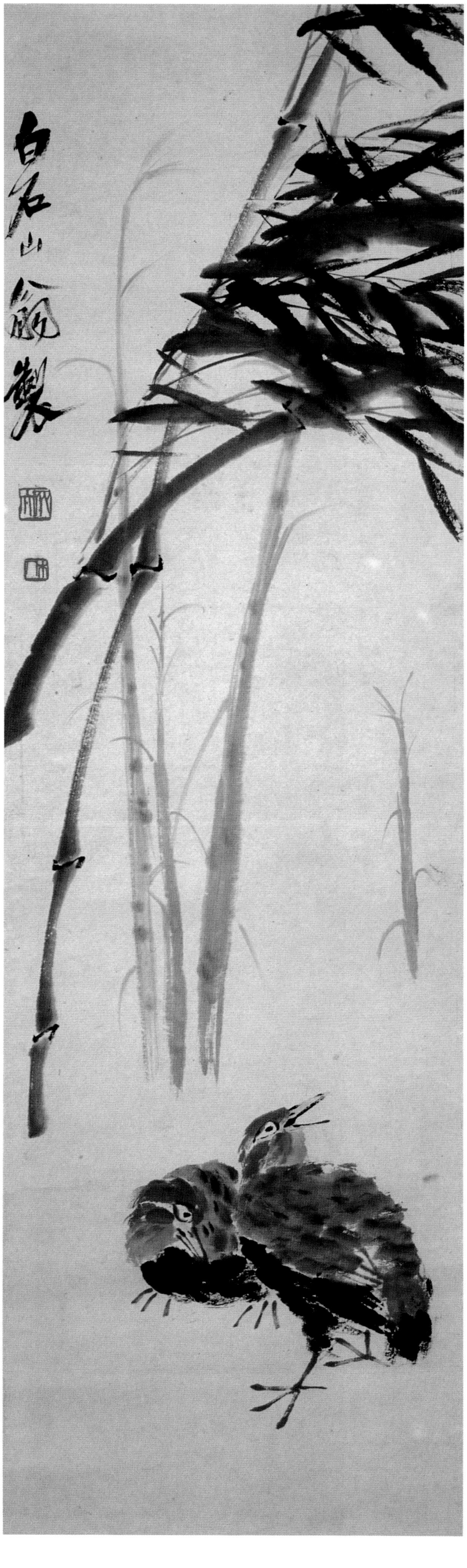

五五　新篁竹鷄　約二十年代晚期　縱一一〇厘米　横三二厘米

五六　蘆雁　約二十年代晚期　縱四一·五厘米　橫四〇厘米

五七 江岸夕照 約二十年代晚期 縱三八厘米 橫五〇厘米

五八　風竹山鷄　約二十年代晚期　縱九九·五厘米　橫三三·五厘米

五九　菊花八哥　約二十年代晚期　縱一三六厘米　橫三四厘米

六〇　家鷄　約二十年代晚期　縱五二厘米　橫三一・五厘米

六一　籬菊圖　約二十年代晚期　縱一三一厘米　橫三三·三厘米

六二 秋海棠 約二十年代晚期 縱一三四厘米 橫三三·五厘米

六二　多子圖　約二十年代晚期　縱九八厘米　橫三六厘米

六四　稻草鷄雛　約二十年代晚期　縱一三三·三厘米　橫三四厘米

六五　稻草鷄雛　約二十年代晚期　縱一〇三・四厘米　橫三三・二厘米

六六　竹筍（雜畫冊頁之一）　約二十年代晚期　縱二七・五厘米　横一七・五厘米

六七　魚草（雜畫冊頁之二）　約二十年代晚期　縱二七·五厘米　橫一七·五厘米

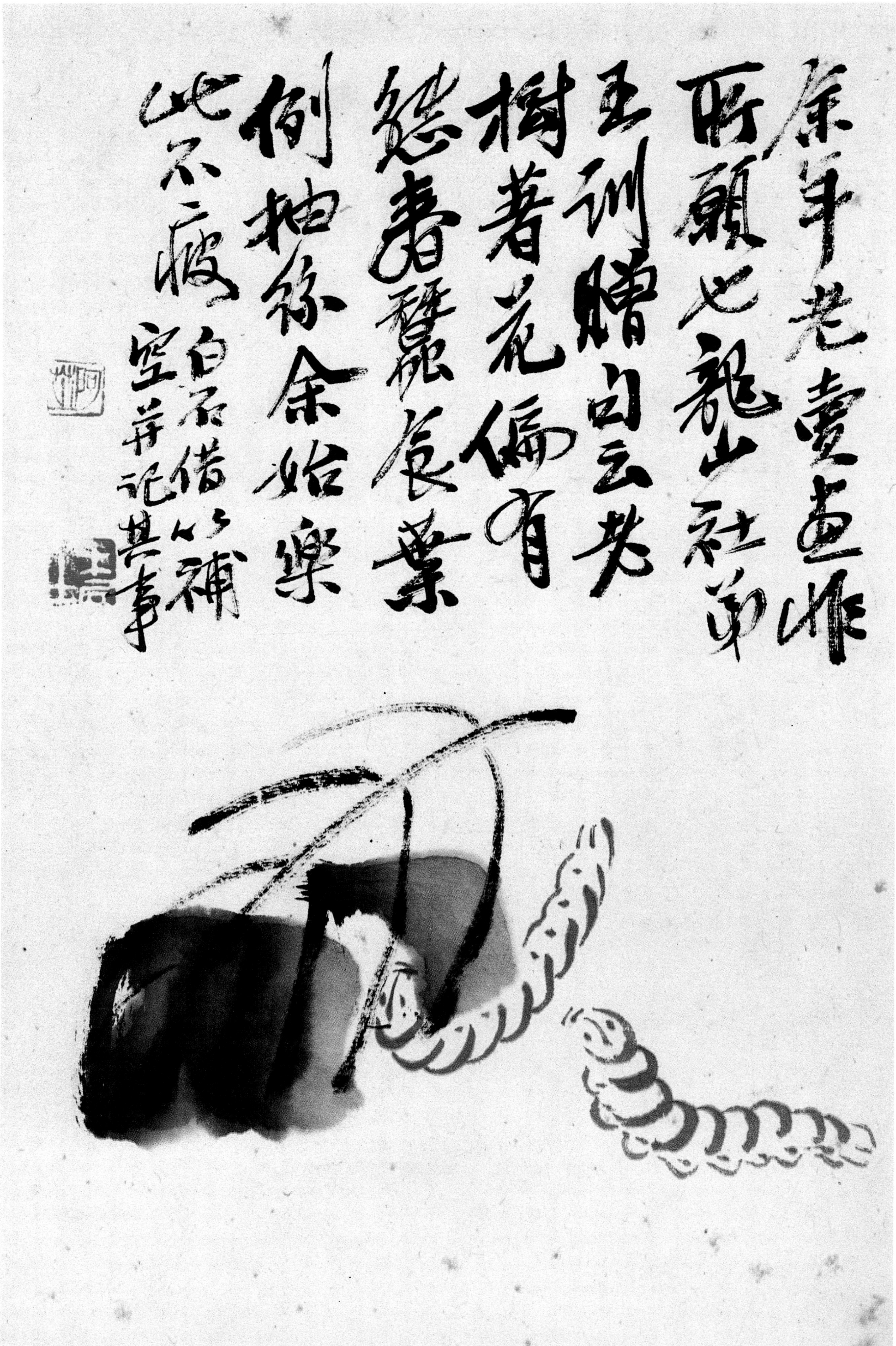

六八　蠶桑　（雜畫冊頁之三）　約二十年代晚期　縱二七·五厘米　橫一七·五厘米

六九　水仙

約二十年代晚期　縱九四·七厘米　橫二五·八厘米

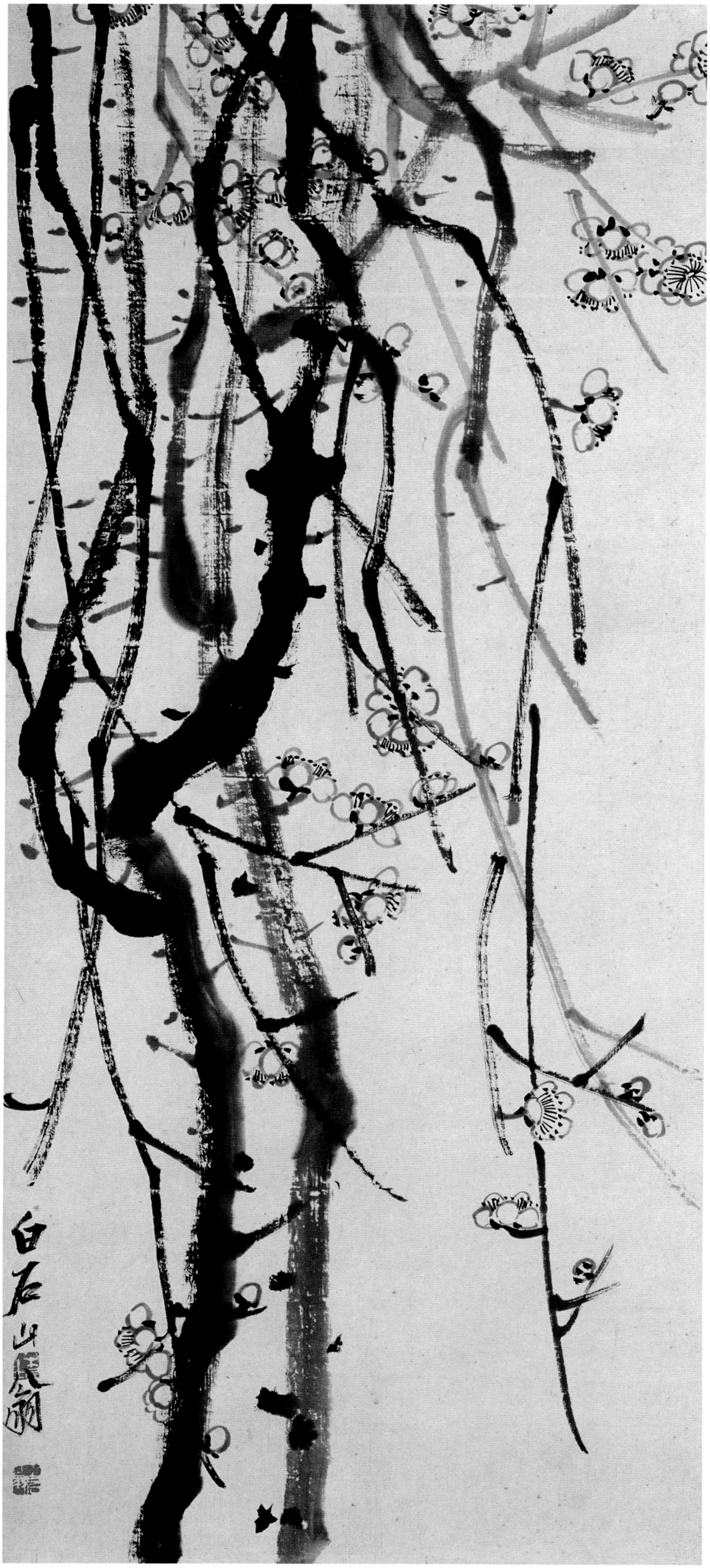

七〇 墨梅 約二十年代晚期 縱八二厘米 橫三五·八厘米

七一　螃蟹　約二十年代晚期　縱二六·五厘米　橫三三厘米

七二　紫藤蜜蜂　約二十年代晚期　縱一三八·五厘米　橫三五厘米

七三　虎踞圖　約二十年代晚期　縱六八·二厘米　橫三三·八厘米

七四　墨牡丹　約二十年代晚期　縱一二八厘米　横四三厘米

七五　荔枝蜻蜓　約二十年代晚期　縱一〇〇厘米　橫三三厘米

七六

松樹

約二十年代晚期　縱六八厘米　橫三三・四厘米

七七　墨梅　約二十年代晚期　縱一三七·二厘米　橫三四·三厘米

七八　絲瓜青蛙

約二十年代晚期　縱一二三厘米　橫四一厘米

七九　絲瓜蜜蜂

約二十年代晚期　縱九二厘米　横四四厘米

八〇 山溪群蝦

約二十年代晚期 縱一三六厘米 橫三三·三厘米

山溪群蝦（局部）

八一

雙鴨

約二十年代晚期　縱七五·五厘米　橫三三厘米

雙鴨 （局部）

八二一　荷塘游鴨

約二十年代晚期　縱一三四·五厘米　橫三三厘米

八三　紅梅　約二十年代晚期　縱一六六厘米　橫四六·五厘米

八四 螃蟹 約二十年代晚期 縱一三二·八厘米 橫三三·二厘米

八五　佛手　約二十年代晚期　縱九四·五厘米　横三五厘米

八六　魚樂圖　約二十年代晚期　縱八八・五厘米　橫三二厘米

八七　秋聲　約二十年代晚期　縱一三三厘米　橫三三厘米

八八

蝴蝶蘭　約二十年代晚期　縱一一五厘米　橫五四厘米

八九　公鷄　約二十年代晚期　縱六〇厘米　橫四六厘米

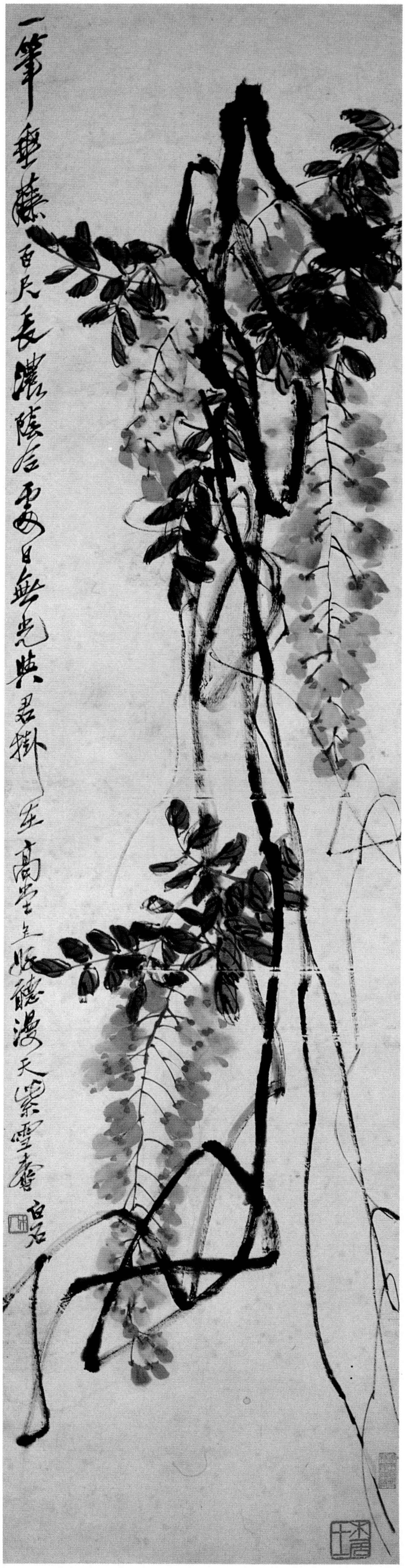

九〇 紫藤

約二十年代晚期 縱一三七厘米 橫三四厘米

九一　牡丹　約二十年代晚期　縱一〇六厘米　横五〇厘米

九二　牡丹

約二十年代晚期　縱一三三厘米　橫三四厘米

九三　三友圖　約二十年代晚期　縱一七八·五厘米　横九四厘米

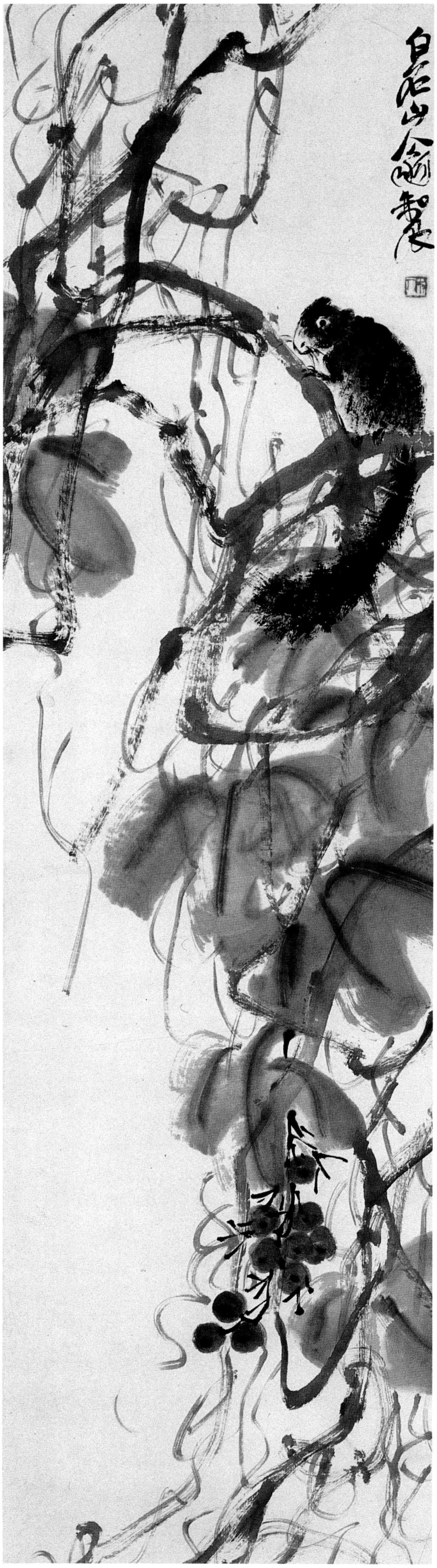

九四　葡萄松鼠　約二十年代晚期　縱一一四·五厘米　橫三一厘米

九五　松樹八哥

約二十年代晚期　縱一六四厘米　橫四六·五厘米

九六 籠中八哥

約二十年代晚期 縱一三五厘米 橫三二厘米

九七　紅梅八哥

約二十年代晚期　縱一〇〇·五厘米　橫三三厘米

九八　照水芙蓉　約二十年代晚期　縱一七八厘米　橫三七厘米

九九　紫藤　約二十年代晚期　縱二五〇厘米　橫六二・五厘米

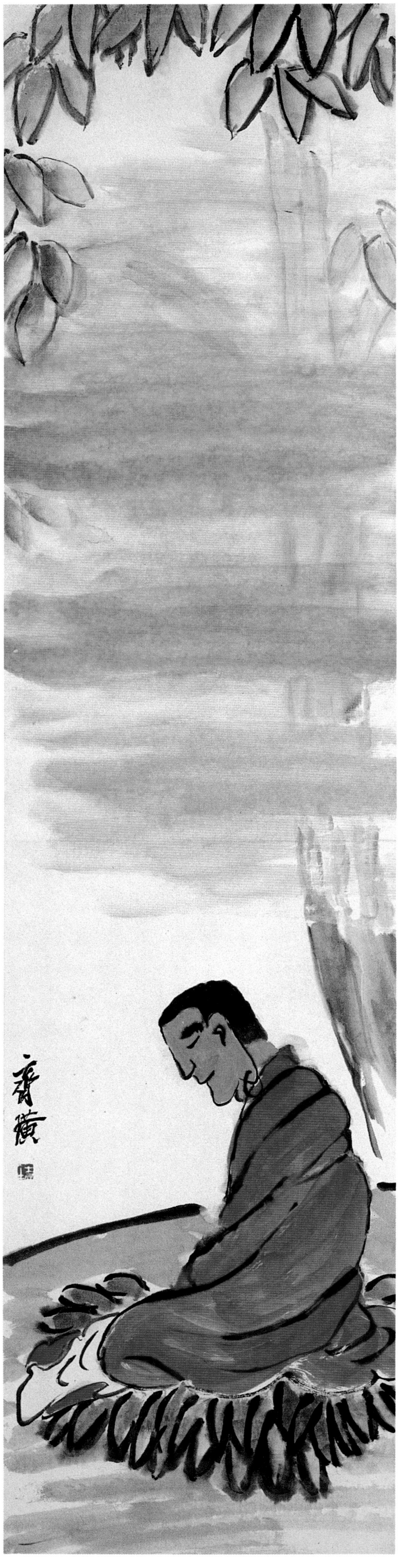

一〇〇　達摩　約二十年代晚期　縱一三六·五厘米　橫三三·五厘米

一〇一　藤蘿　一九三〇年　縱一三六·五厘米　橫三四·二厘米

一〇二　松鷹圖　一九三〇年　縱一三七厘米　橫三五厘米

一〇三　清白傳家圖　一九三〇年　縱九一厘米　橫五三厘米

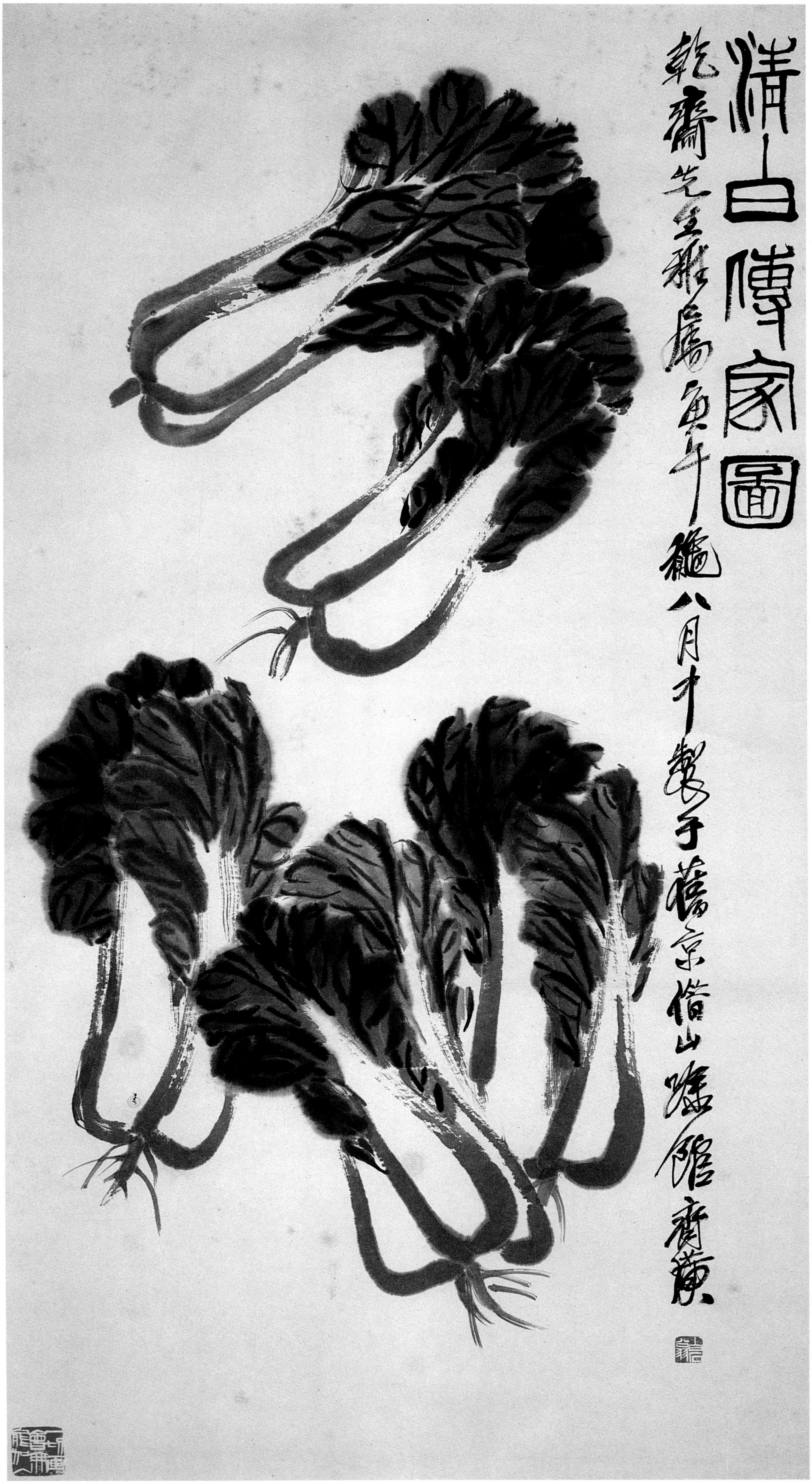

一〇四　藤蘿

一九三〇年　縱一四一厘米　橫三三厘米

一〇五　芙蓉小魚　一九三〇年　縱六四厘米　横三〇厘米

一〇六　松樹　一九三〇年　縱一三一厘米　横三三厘米

一〇七　雜畫册 （册頁之一） 一九三〇年　縱三二厘米　橫二五厘米

一〇八　雜畫册（册頁之二）　一九三〇年　縱三二厘米　橫二五厘米

一〇九　雜畫册（册頁之三）一九三〇年　縱三二厘米　横二五厘米

一一〇　雜畫册（册頁之四）　一九三〇年　縱三二厘米　横二五厘米

一一一　雜畫册（册頁之五）一九三〇年　縱三二厘米　橫二五厘米

一一二　雜畫册（册頁之六）一九三〇年　縱三二厘米　橫二五厘米

一一三　雜畫册（册頁之七）一九三〇年　縱三二厘米　橫二五厘米

一一四　雜畫册（册頁之八）一九三〇年　縱三二厘米　横二五厘米

一一五　雜畫册（册頁之九）一九三〇年　縱三二厘米　横二五厘米

一一六　雜畫册（册頁之十）一九三〇年　縱三二厘米　横二五厘米

一一七　雜畫册（册頁之十一）　一九三〇年　縱三二厘米　橫二五厘米

一一八　綬帶枇杷

一九三〇年　縱一三三厘米　橫三四厘米

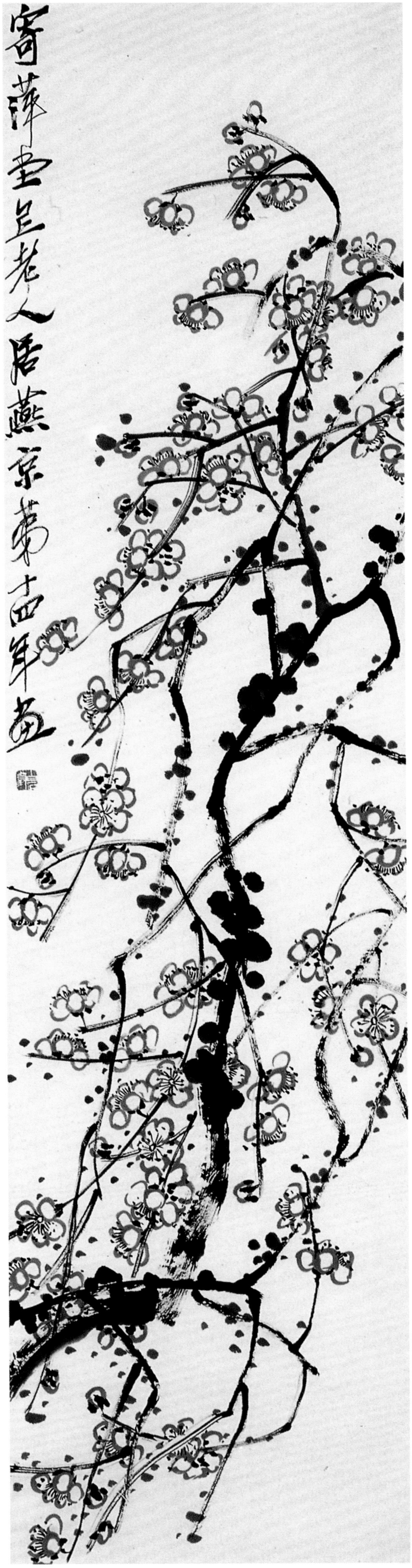

一一九　墨梅圖　一九三〇年　縱一三六・八厘米　橫三四厘米

一二〇 壽桃 一九三〇年 縱九二厘米 橫五八厘米

一二一　穀穗老鼠　約一九三〇年　縱一〇七厘米　橫三四·三厘米

一二三　山間松屋　一九三〇年　縱一四一厘米　橫四一厘米

一二三 潑墨山水 約一九三〇年 縱八七厘米 橫四六厘米

一二四　湖岸遠帆圖　約一九三〇年　縱一三八厘米　橫三四厘米

湖岸遠帆圖（局部）

一二五　山水　一九三〇年　縱二三·六厘米　横一三七厘米

佩公先生正 庚午 齊璜

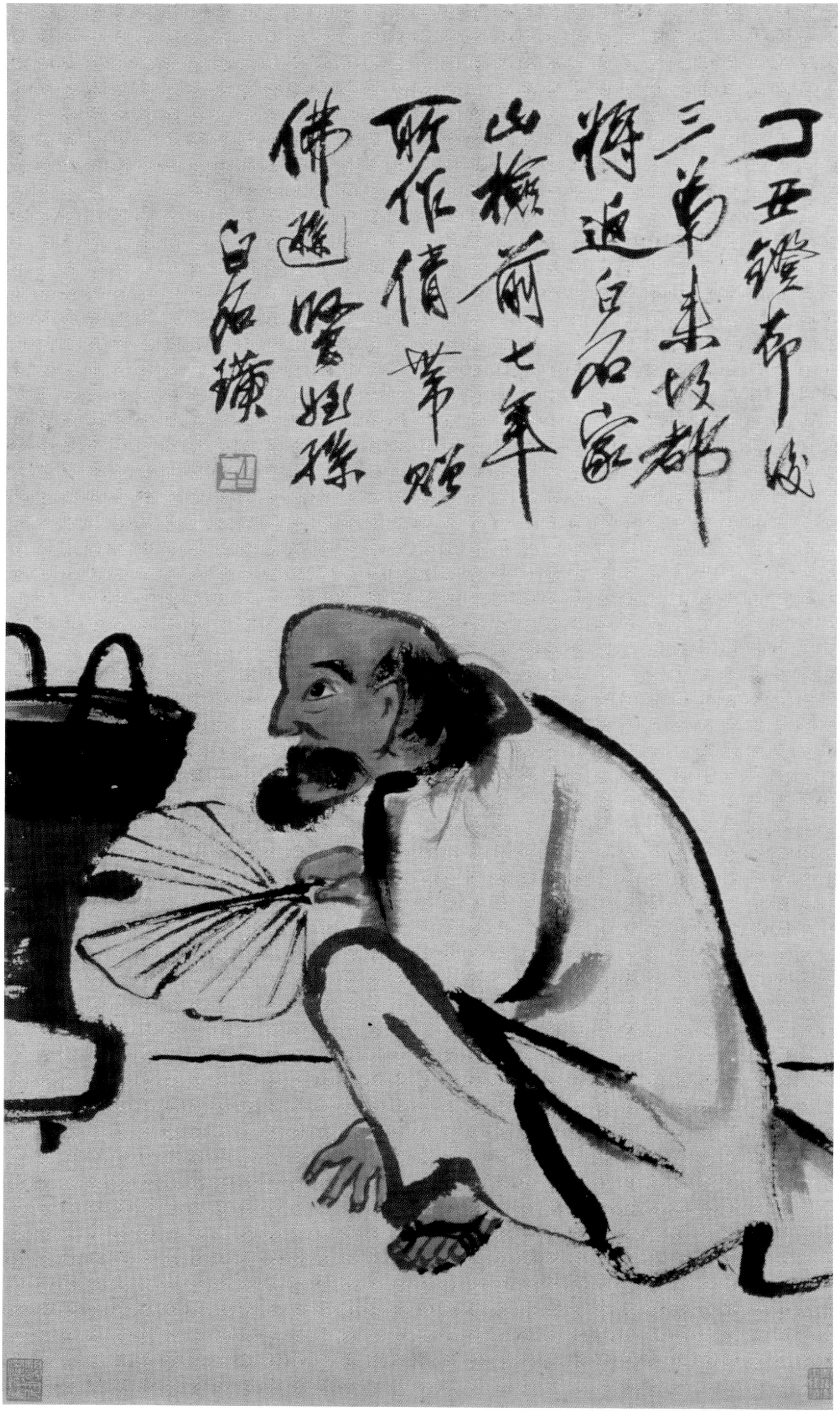

一二六　煉丹圖　約一九三〇年　縱八六厘米　橫四九・五厘米

一二七　鍾馗搔背圖　一九三〇年　縱六七·四厘米　橫三四·四厘米

一二八　夜讀圖　一九三〇年　縱四八厘米　橫三三厘米

一二九　送子從師圖　約一九三〇年　縱三五·五厘米　橫二五·四厘米

一三〇　**老當益壯**　約一九三〇年　縱三五·五厘米　橫二五·四厘米

一三一　人罵我我也罵人　約一九三〇年　縱三五·五厘米　横二五·四厘米

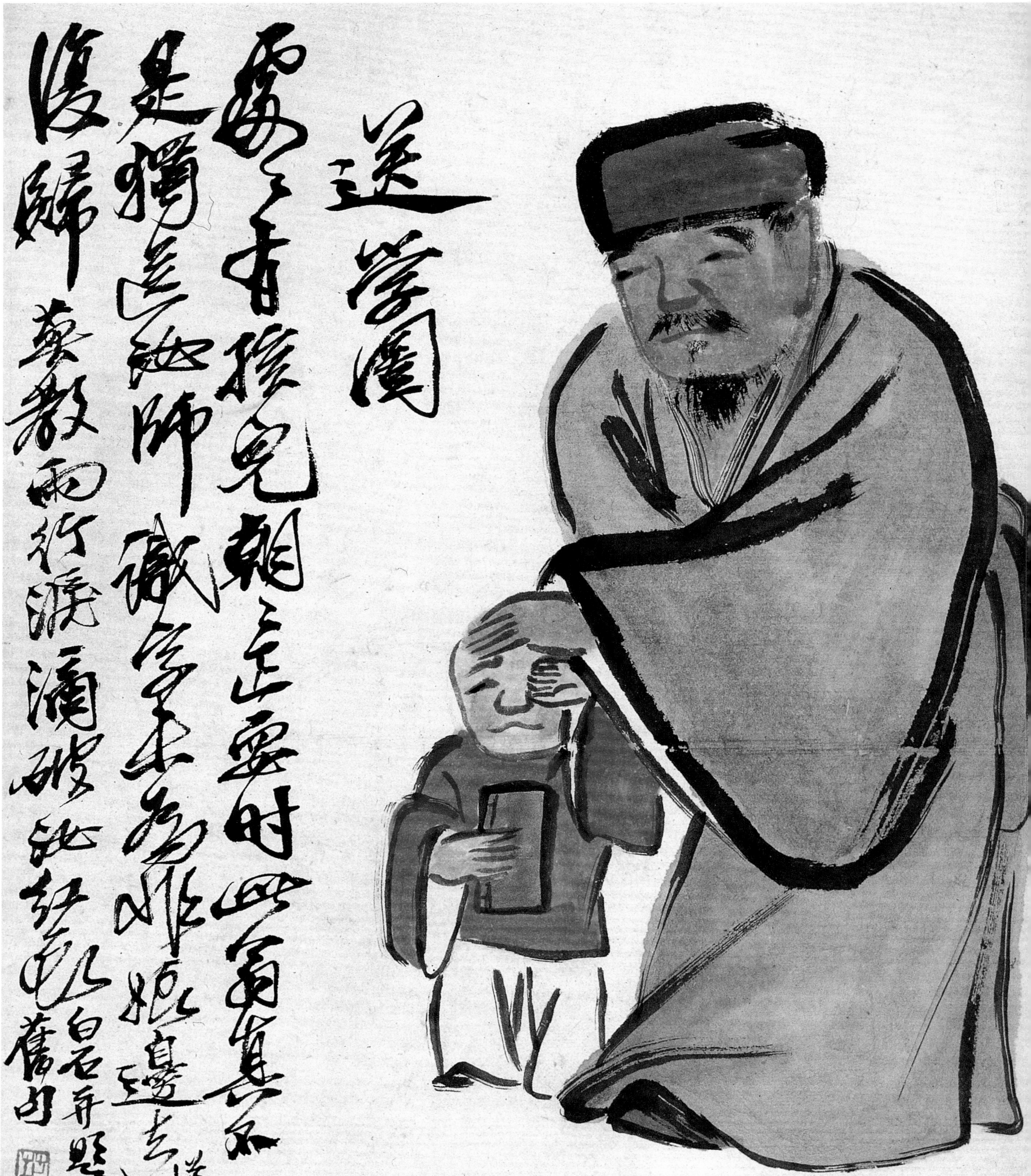

一三二　送學圖 （人物册頁之一） 約一九三〇年　縱三三厘米　橫二七厘米

一三三　送學圖（人物册頁之二）　約一九三〇年　縱三三厘米　横二七厘米

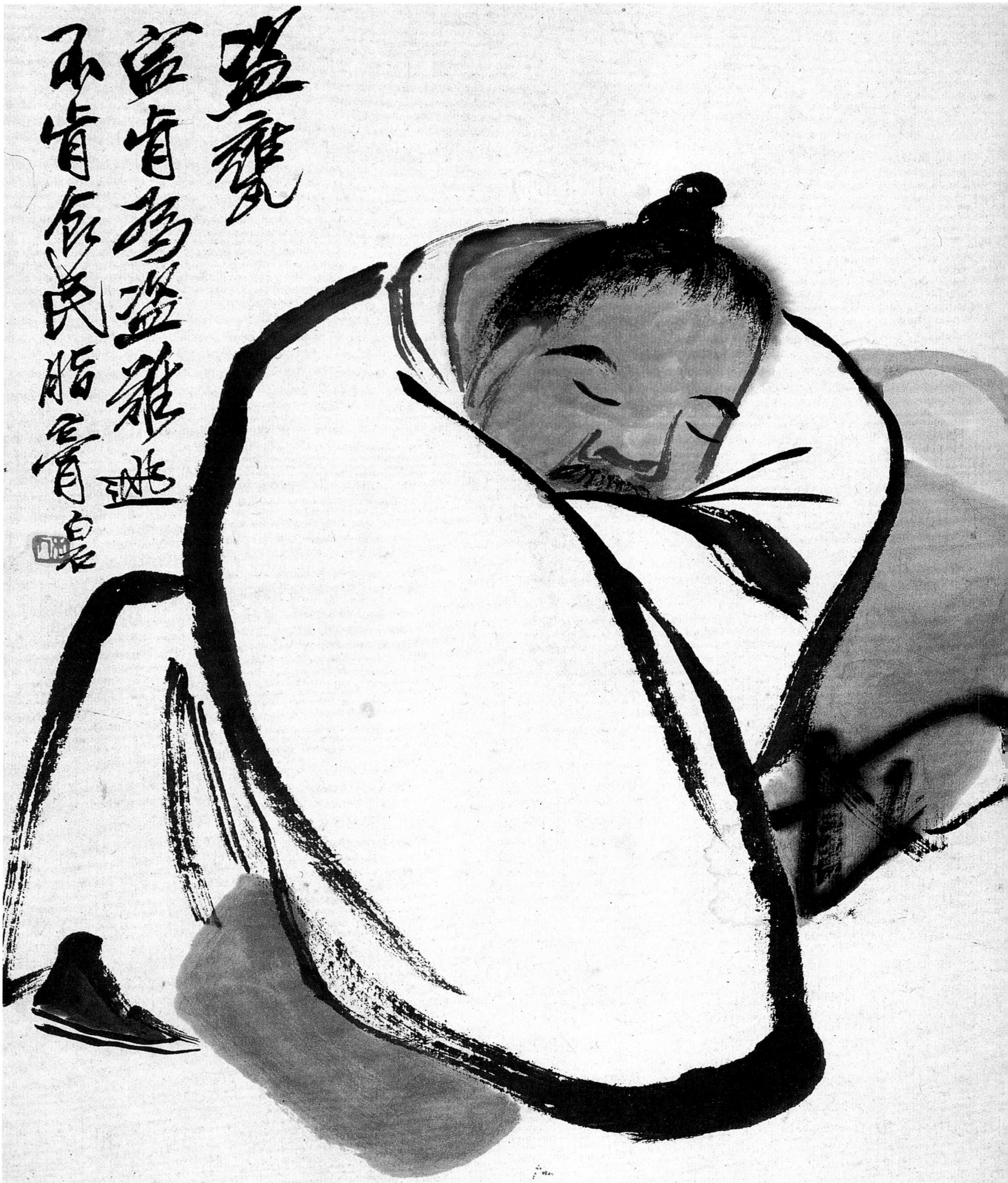

一三四　盜甕（人物册頁之三）　約一九三〇年　縱三三厘米　橫二七厘米

一三五　終南山進士像（人物册頁之四）　約一九三〇年　縱三三厘米　橫二七厘米

一三六　也應歇歇（人物册頁之五）　約一九三〇年　縱三三厘米　横二七厘米

一三七　還山讀書圖　（人物册頁之六）　約一九三〇年　縱三三厘米　橫二七厘米

一三八　梨花（花果四條屏之一）　一九三〇年　縱一三三厘米　橫二二厘米

一三九　玉蘭（花果四條屏之二）一九三〇年　縱一三三厘米　橫二二厘米

一四〇　菊花（花果四條屏之三）　一九三〇年　縱一三三厘米　横二二厘米

一四一　荔枝（花果四條屏之四）　一九三〇年　縱一三三厘米　橫二二厘米

一四二　大喜大利圖　一九三一年　縱二四九厘米　橫七〇厘米

大喜大利圖（局部）

一四三　梅影詩意圖　一九三一年　縱一〇一·五厘米　横三四厘米

一四四　紫藤雙蜂　一九三一年　縱三二·三厘米　橫三三·五厘米

一四五　牽牛花　一九三一年　縱一一七厘米　橫二八厘米

一四六　雛鷹圖　一九三一年　縱六七厘米　橫一八厘米

一四七　朝陽 （山水册頁之一） 一九三一年 縱三四·五厘米 横三五厘米

一四八　蒼海烟帆（山水册頁之二）一九三一年　縱三四·五厘米　横三五厘米

一四九　鸕鷀（山水册頁之三）一九三一年　縱三四·五厘米　横三五厘米

一五〇　荷塘（山水册頁之四）　一九三一年　縱三四·五厘米　横三五厘米

一五一　荒山殘雪（山水册頁之五）一九三一年　縱三四·五厘米　橫三五厘米

一五二　雨後（山水册頁之六）一九三一年　縱三四·五厘米　横三五厘米

一五三　松林（山水册頁之七）一九三一年　縱三四·五厘米　橫三五厘米

一五四　陽羨垂釣（山水册頁之八）一九三一年　縱三四·五厘米　橫三五厘米

一五五　枯樹寒鴉（山水册頁之九）一九三一年　縱三四·五厘米　橫三五厘米

一五六　放牛圖（山水册頁之十）一九三一年　縱三四·五厘米　橫三五厘米

一五七　月明人靜時候（山水册頁之十一）一九三一年　縱三四·五厘米　橫三五厘米

一五八　柳浦秋晴（山水册頁之十二）　一九三一年　縱三四·五厘米　橫三五厘米

一五九　風順波清

一九三一年　縱一三六・二厘米　横三九・七厘米

一六〇　乘風破浪　一九三一年　縱一三六・五厘米　横三九・五厘米

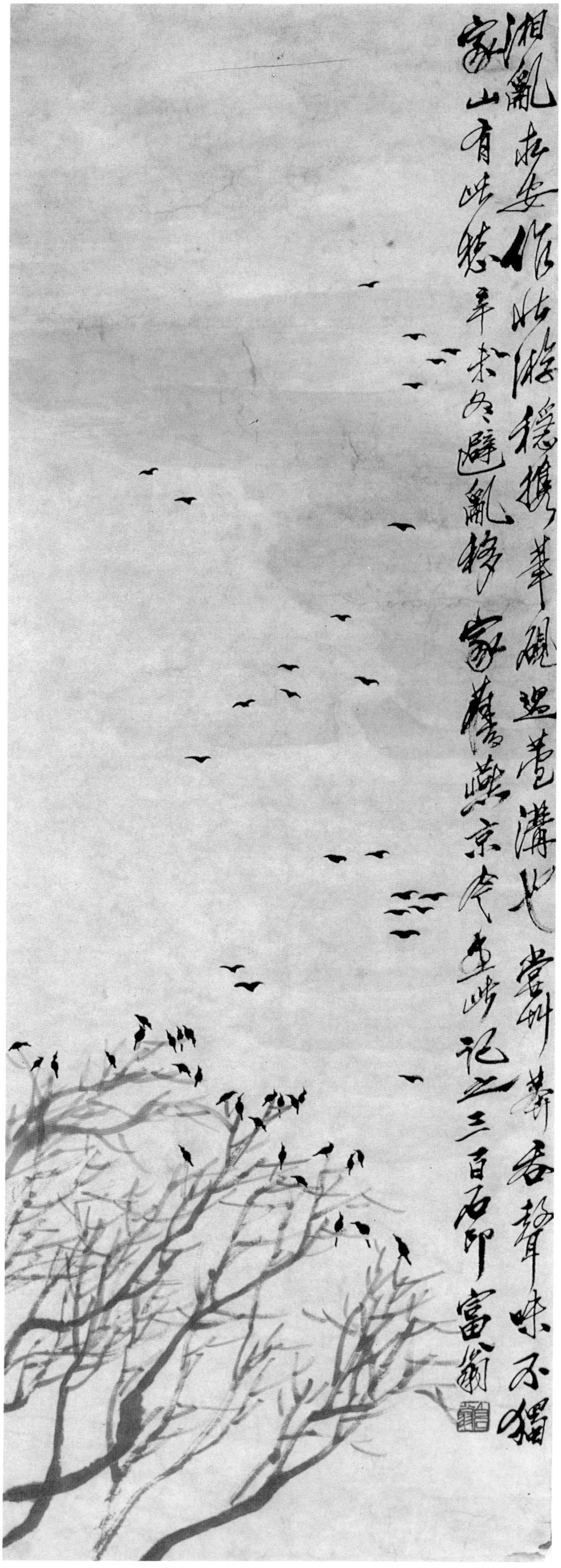

一六一　日暮歸鴉　一九三一年　縱一〇一厘米　橫三五厘米

日暮归鸦（局部）

一六二　借山吟館圖（山水條屏之一）　一九三二年　縱一二八厘米　横六二厘米

一六三　木葉泉聲（山水條屏之二）　一九三二年　縱一二八厘米　橫六二厘米

一六四　紅日白帆（山水條屏之三）　一九三二年　縱一二八厘米　橫六二厘米

一六五　清風萬里　（山水條屏之四）　一九三二年　縱一二八厘米　橫六二厘米

綠天野屋
吾曾游安南由欽州之東興過鐵橋有萬蕉中見野屋風景絕佳已收入借山圖矣 白石山翁

一六六　緑天野屋（山水條屏之五）　一九三二年　縱一二八厘米　横六二厘米

一六七　荷亭清暑（山水條屏之六）　一九三二年　縱一二八厘米　橫六二厘米

一六八　雨後雲山（山水條屏之七）　一九三二年　縱一二八厘米　橫六二厘米

一六九　飛鳥暮還（山水條屏之八）　一九三二年　縱一二八厘米　橫六二厘米

一七〇 岱廟圖 （山水條屏之九） 一九三一年 縱一二八厘米 橫六二厘米

一七一　一白高天下（山水條屏之十）一九三二年　縱一二八厘米　橫六二厘米

一七二　夢中蜀景（山水條屏之十一）　一九三二年　縱一二八厘米　橫六二厘米

一七三　月圓石壽（山水條屏之十二）　一九三二年　縱一二八厘米　橫六二厘米

一七四　竹溪群鴨（山水册頁之一）　約一九三二年　縱三二·五厘米　横三五·五厘米

一七五　垂柳帆影（山水册頁之二）　約一九三二年　縱三二·五厘米　橫三五·五厘米

一七六　酒醉網乾（山水册頁之三）約一九三二年　縱三二·五厘米　橫三五·五厘米

一七七　遠山溪樹（山水册頁之四）約一九三二年　縱三二·五厘米　横三五·五厘米

一七八　牧童紙鳶 （山水册頁之五） 約一九三二年　縱三二·五厘米　橫三五·五厘米

一七九　一犁春雨（山水册頁之六）　約一九三二年　縱三二·五厘米　橫三五·五厘米

一八〇　蕉葉樓居 （山水冊頁之七） 約一九三二年　縱三二·五厘米　橫三五·五厘米

一八一　兩岩含月（山水册頁之八）　約一九三二年　縱三二·五厘米　橫三五·五厘米

壬申春齊璜恭畫

一八三　一葦渡江圖　一九三一年—一九三二年　縱一二四厘米　横五二厘米

一八四　鐘馗搔背圖　約三十年代初期　縱一三一厘米　橫五八・七厘米

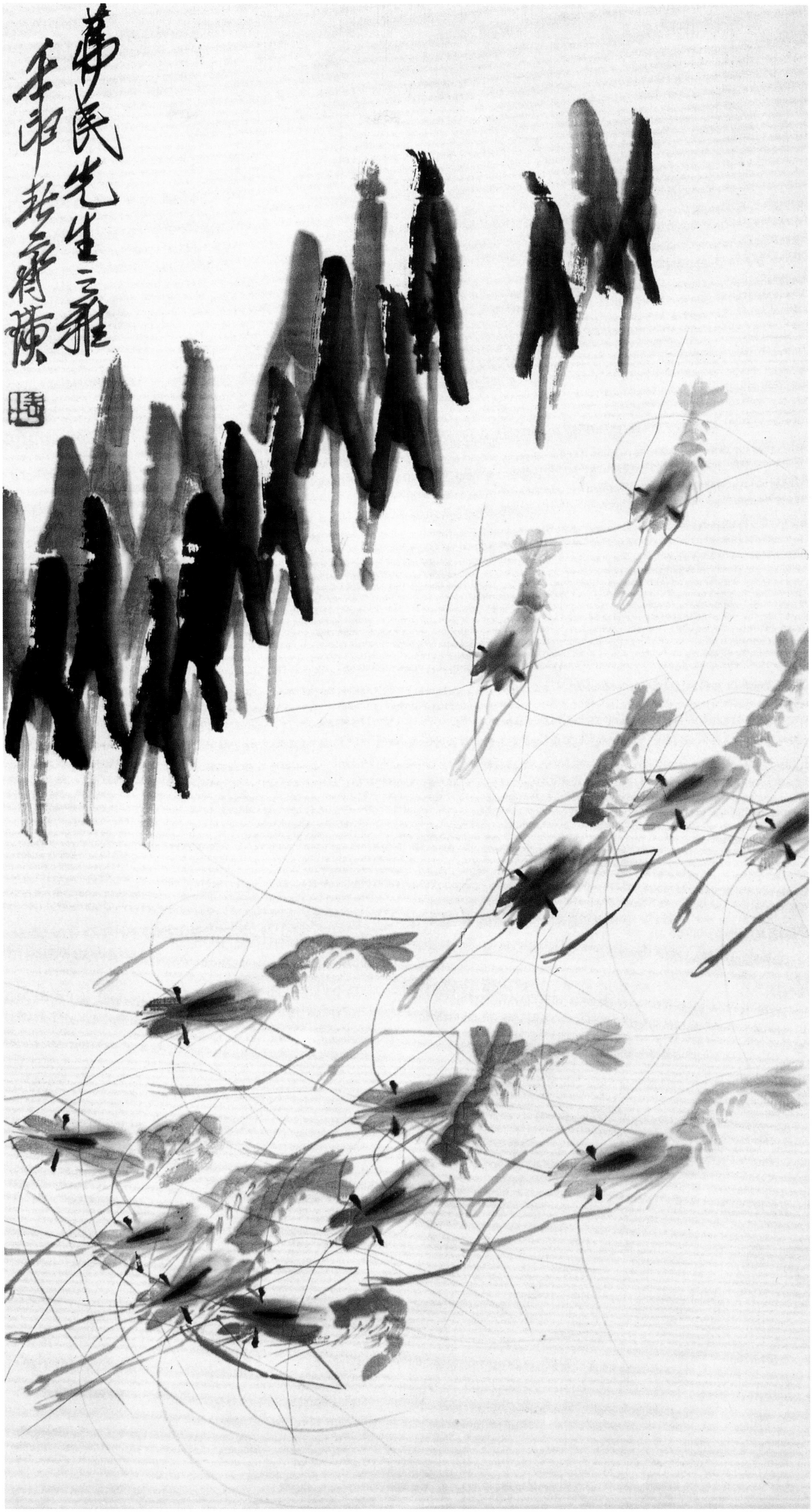

一八五　游蝦剪刀草　一九三二年　縱八八·五厘米　橫四六·二厘米

一八六　群蟹圖　一九三二年　縱一二〇厘米　橫三〇厘米

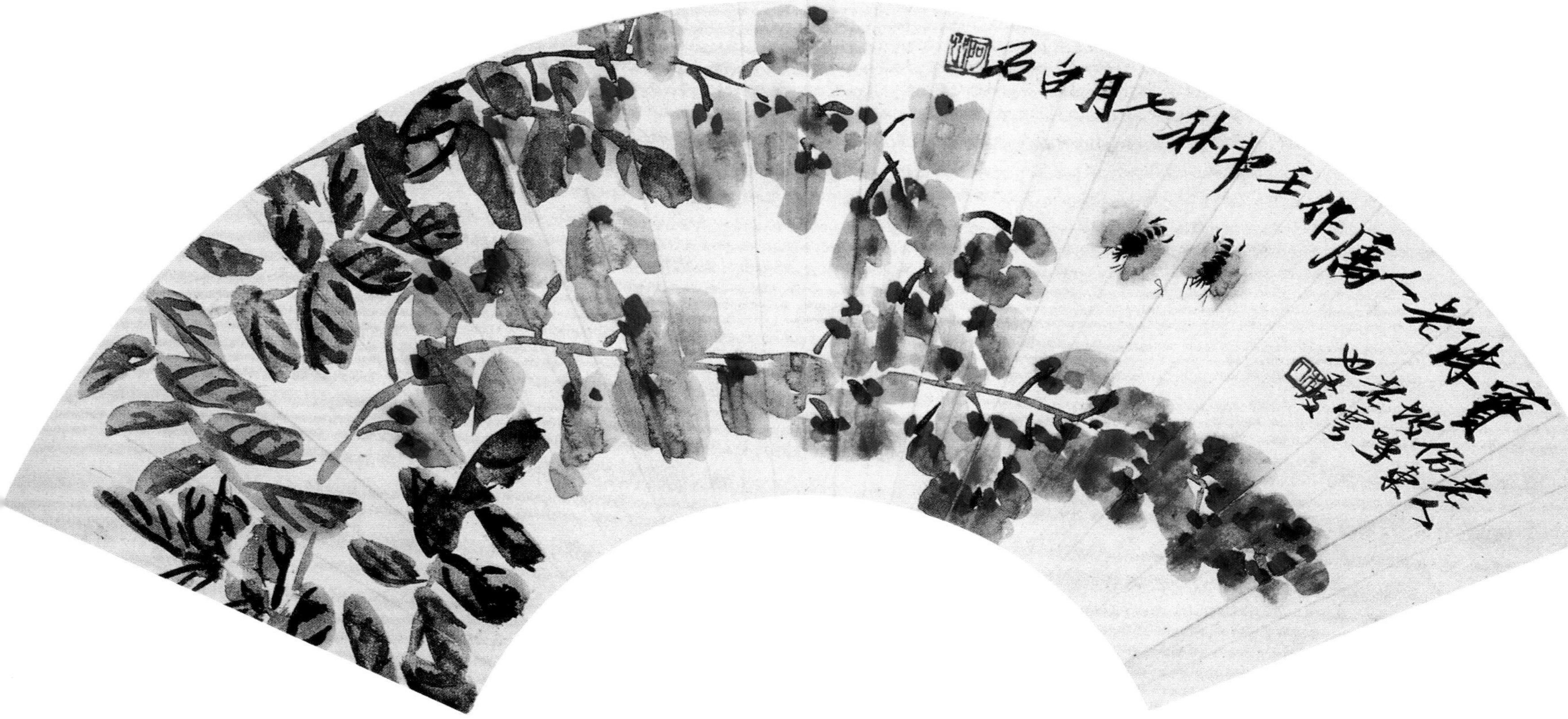

一八七　紫藤雙蜂（扇面）一九三二年　縱一八厘米　横五七·五厘米

一八八 松鼠 一九三二年 縱一三六厘米 横三三厘米

一八九　扁豆　一九三二年　縱八一厘米　横三五厘米

一九〇 柳溪垂釣圖

一九三二年 縱一四一厘米 橫四五厘米

一九一　群蝦圖　一九三二年　縱一六〇厘米　橫三五厘米

一九二　杏花青蛾（花卉草蟲册頁之一）一九三二年　縱二二·五厘米　横三四厘米

一九三　梨花蚱蜢（花卉草蟲册頁之二）一九三二年　縱二二·五厘米　横三四厘米

一九四　雁來紅蝴蝶（花卉草蟲册頁之三）一九三二年　縱二二·五厘米　橫三四厘米

一九五　蘭花甲蟲（花卉草蟲册頁之四）一九三二年　縱二二·五厘米　橫三四厘米

一九六　稻葉蝗蟲（花卉草蟲册頁之五）一九三二年　縱二二·五厘米　橫三四厘米

一九七　桃花灰蛾（花卉草蟲册頁之六）一九三二年　縱二二·五厘米　横三四厘米

一九八　豆莢蟋蟀（花卉草蟲册頁之七）一九三二年　縱二二·五厘米　橫三四厘米

一九九　十字花螻蛄（花卉草蟲册頁之八）一九三二年　縱二二·五厘米　横三四厘米

二〇〇　水草雙蝦（花卉草蟲册頁之九）一九三二年　縱二二·五厘米　横三四厘米

二〇一　稻穗螳螂（花卉草蟲册頁之十）　一九三二年　縱二二·五厘米　橫三四厘米

二〇二　樹葉黄蜂（花卉草蟲册頁之十一）一九三二年　縱二二·五厘米　横三四厘米

二〇三　青草蝗蟲（花卉草蟲册頁之十二）一九三二年　縱二二·五厘米　橫三四厘米

二〇四　海棠蜻蜓

一九三二年　縱六八厘米　横三三厘米

二〇五　海棠　一九三二年　縱一二九・八厘米　橫三三・六厘米

二〇六 海棠麻雀 一九三二年 縱一三六厘米 橫三四·五厘米

二〇七　雙壽　一九三二年　縱一三〇・五厘米　横三二厘米

二〇八 鴨子芙蓉 約一九三二年 縱一三六厘米 橫三三厘米

鴨子芙蓉（局部）

二〇九　松鷹圖　一九三三年　縱六六厘米　橫三六四厘米

焕然先生雅属癸酉

二一〇　竪石山鷄　一九三三年　縱一〇二·五厘米　橫三四厘米

二一一　菊花（扇面）一九三三年　縱一九厘米　橫五二厘米

二一二　菊花蟋蟀　約一九三三年　縱九八厘米　橫三三厘米

二一三　菊花　一九三三年　縱四三厘米　橫五九厘米

二一四　蓮池書院圖　一九三三年　縱六五·二厘米　横四八厘米

蓮池書院圖（局部）

二一五　葛園耕隱圖　一九三三年　縱六七厘米　橫三八厘米

二一六　焚香圖　一九三三年　縱九六·四厘米　横四七·五厘米

二一七　穀穗螞蚱　（花鳥草蟲册頁之一）　約三十年代初期　縱四五厘米　橫三四·五厘米

二一八　豆莢天牛　（花鳥草蟲册頁之二）　約三十年代初期　縱四五厘米　横三四·五厘米

二一九　油燈黄蛾　（花鳥草蟲册頁之三）　約三十年代初期　縱四五厘米　横三四·五厘米

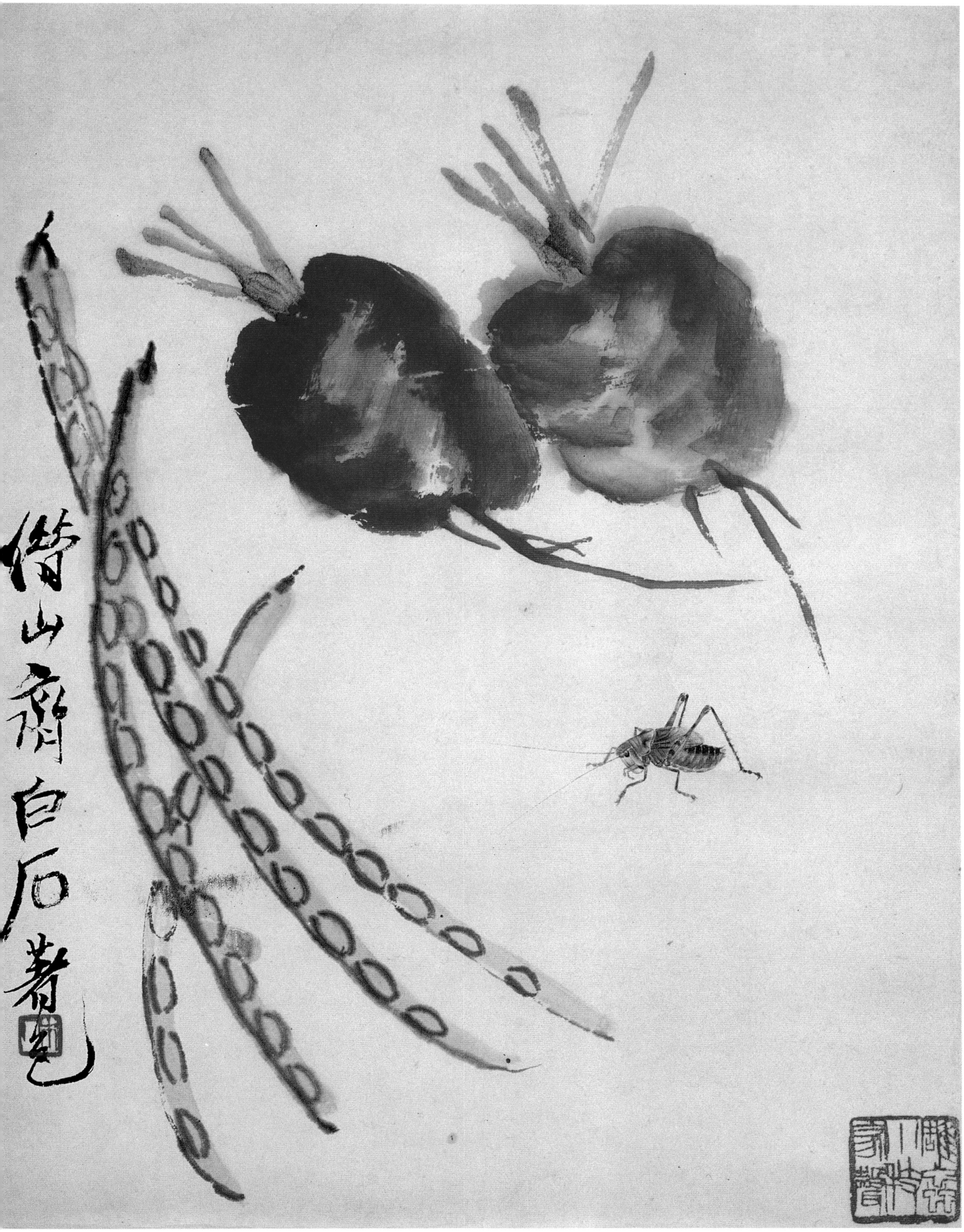

二二〇　蘿蔔蟋蟀（花鳥草蟲册頁之四）　約三十年代初期　縱四五厘米　横三四·五厘米

二二一　紫藤飛蛾（花鳥草蟲册頁之五）　約三十年代初期　縱四五厘米　橫三四·五厘米

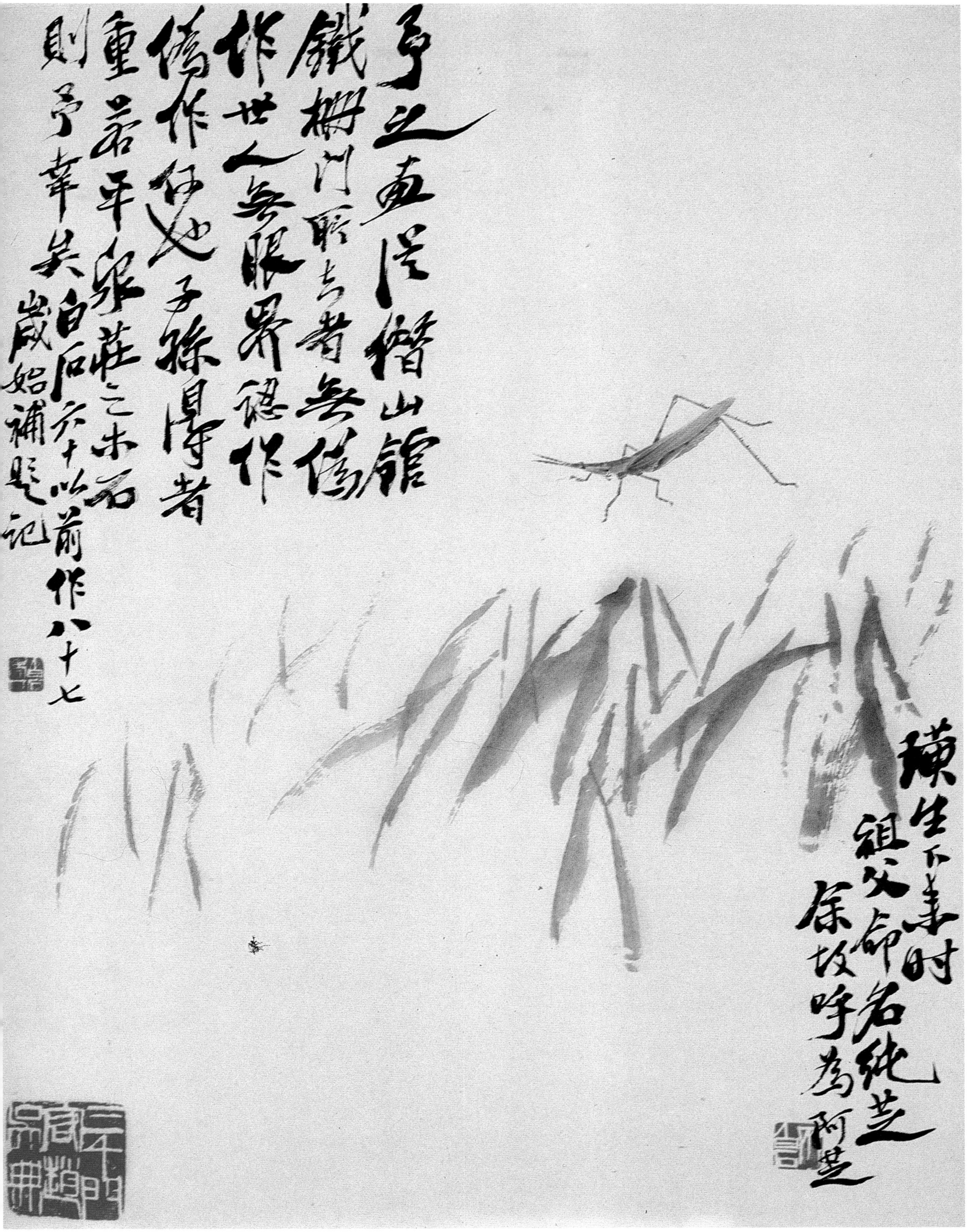

二二二　青草螳螂（花鳥草蟲册頁之六）約三十年代初期　縱四五厘米　橫三四·五厘米

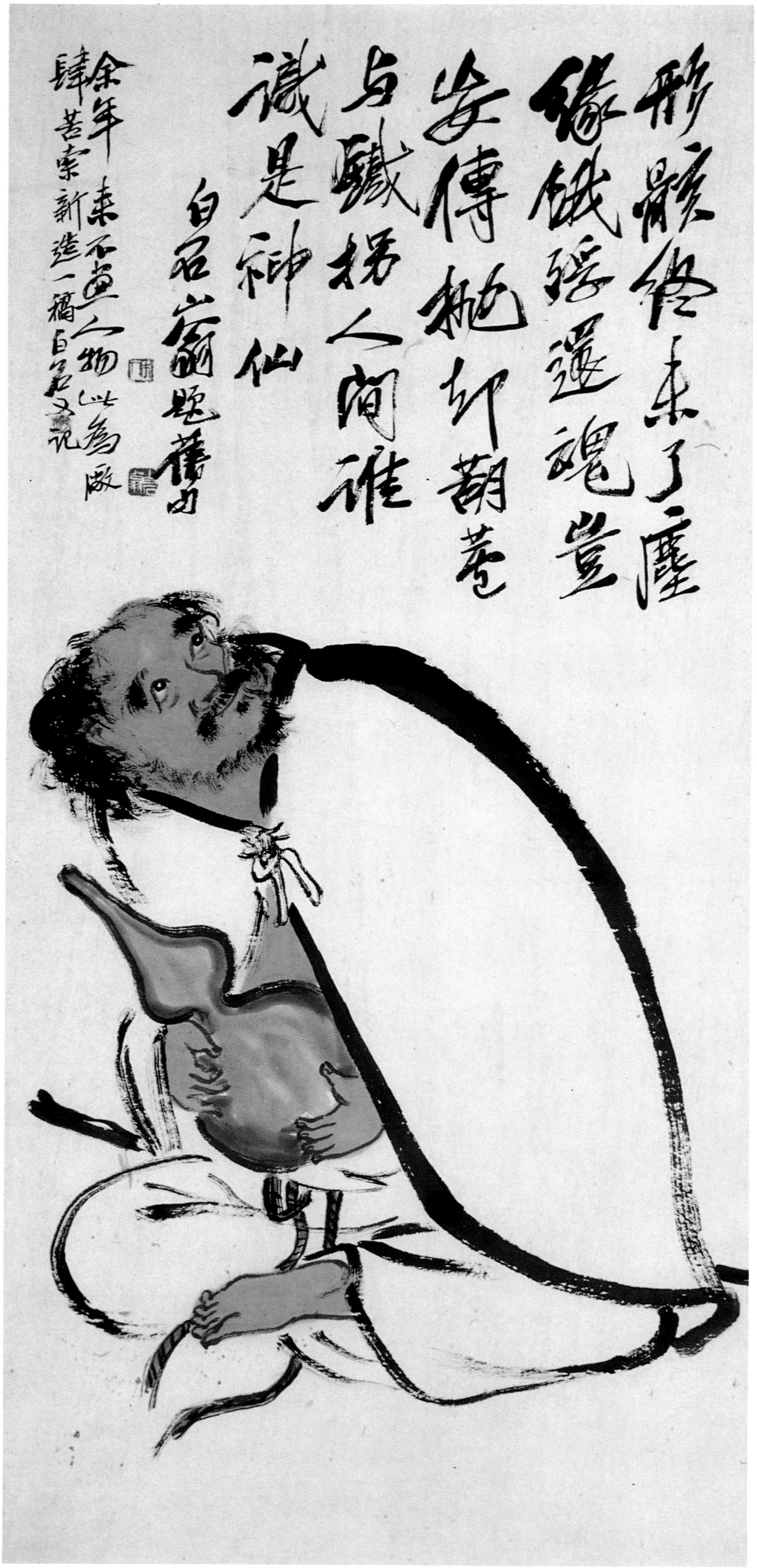

二一三 李鐵拐 約三十年代初期 縱一〇三厘米 横四六・八厘米

二二四　人物

約三十年代初期　縱一二九厘米　横五四厘米

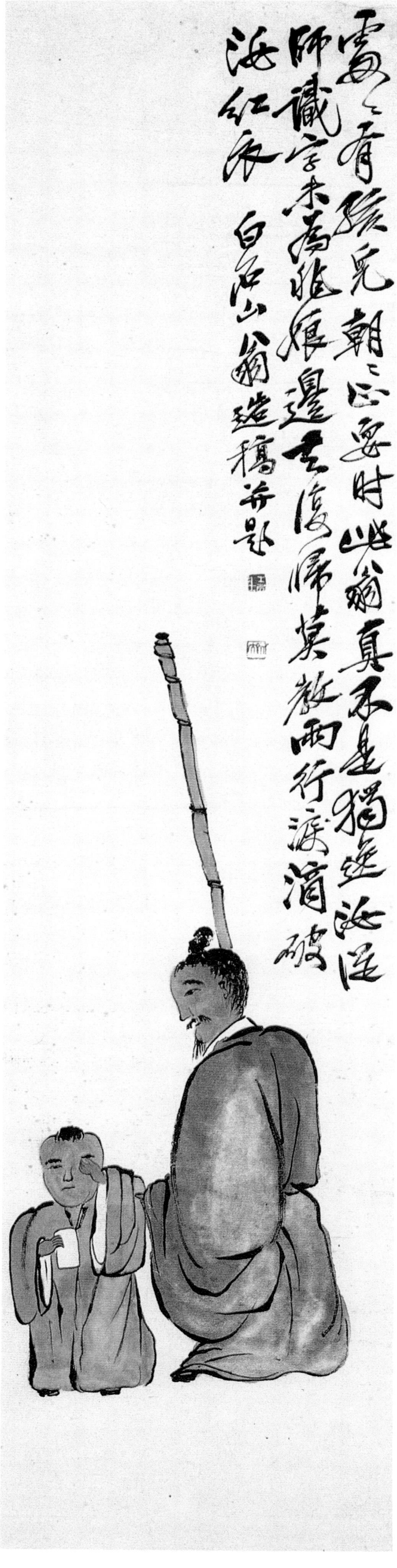

二二五　送子從師圖　約三十年代初期　縱一三二厘米　橫三四厘米

二二六　玩硯圖　約三十年代初期　縱五〇厘米　横三三厘米

二二七　五柳先生像　約三十年代初期　縱一〇〇厘米　橫三五厘米

二二八　田家風度　約三十年代初期　縱六七·五厘米　橫三三·五厘米

二一九 芙蓉

約三十年代初期 縱三一·九厘米 橫一七·五厘米

二三〇

梅花　約三十年代初期　縱四〇・四厘米　橫二二厘米

二三一 鵪鶉 約三十年代初期 縱四七·六厘米 橫三〇·四厘米

二三二　雙壽　約三十年代初期　縱二九·三厘米　横三一·七厘米

二三三　柳牛　約三十年代初期　縱三三·七厘米　橫二九·七厘米

二三四　荔枝　約三十年代初期　縱三三·五厘米　横二九·三厘米

二三五　青蛙　約三十年代初期　縱三四厘米　橫二九·五厘米

二三六　佛手　約三十年代初期　縱三三·六厘米　橫二九·九厘米

二三七　紅葉山居　約三十年代初期　縱七〇厘米　橫六四厘米

二三八　蝴蝶花　約三十年代初期　縱一三二·二厘米　橫三三·四厘米

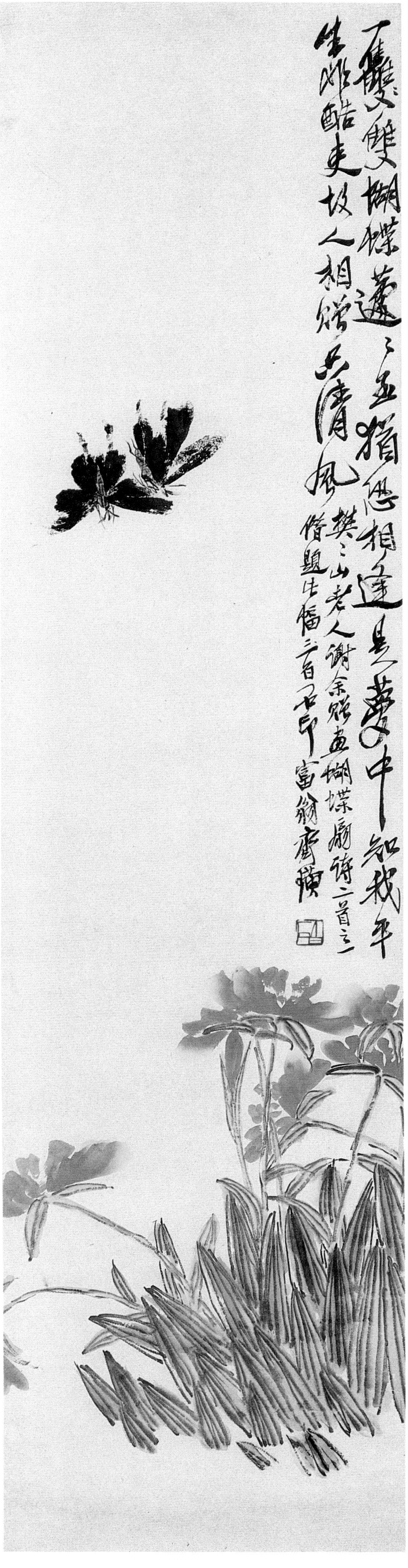

二三九　花果（册頁之一）　約三十年代初期　縱二九厘米　横一八厘米

二四〇　花果（册頁之二）　約三十年代初期　縱二九厘米　橫一八厘米

二四一　花果（册頁之三）　約三十年代初期　縱二九厘米　横一八厘米

二四二　花果（册頁之四）　約三十年代初期　縱二九厘米　橫一八厘米

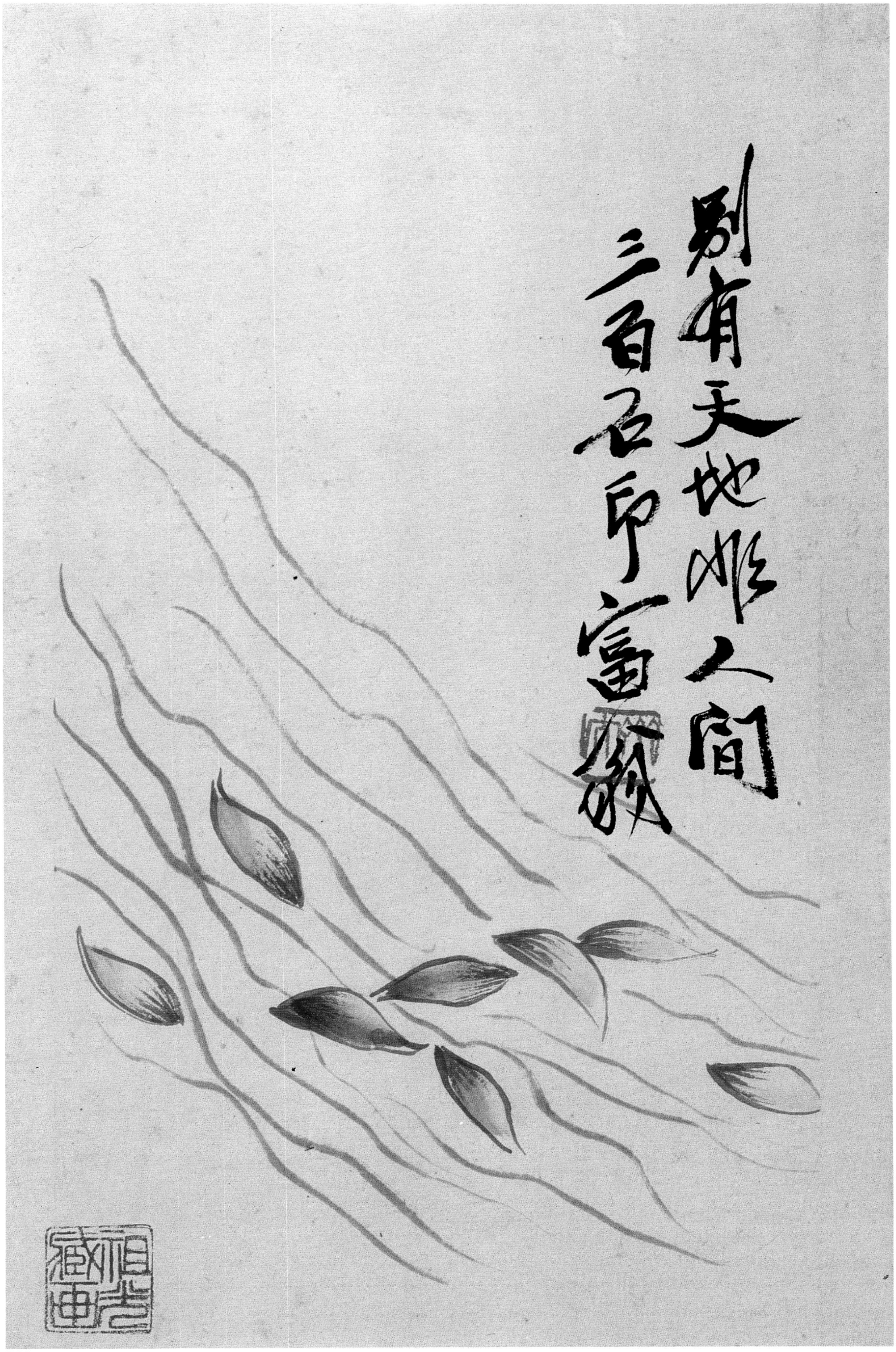

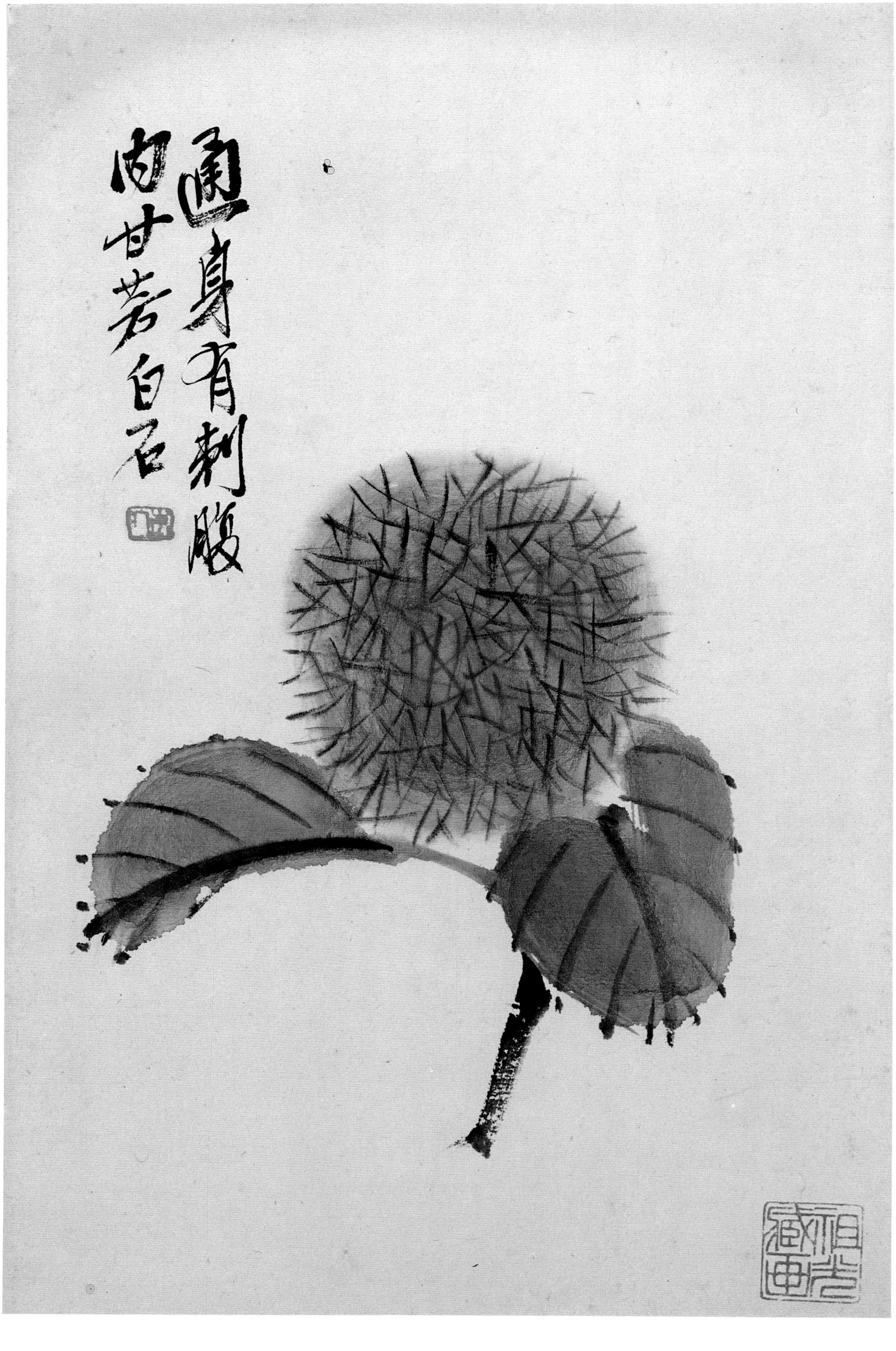

二四三　花果（册頁之五）約三十年代初期　縱二九厘米　橫一八厘米

二四四　花果（册頁之六）　約三十年代初期　縱二九厘米　橫一八厘米

二四五　花果（册頁之七）　約三十年代初期　縱二九厘米　横一八厘米

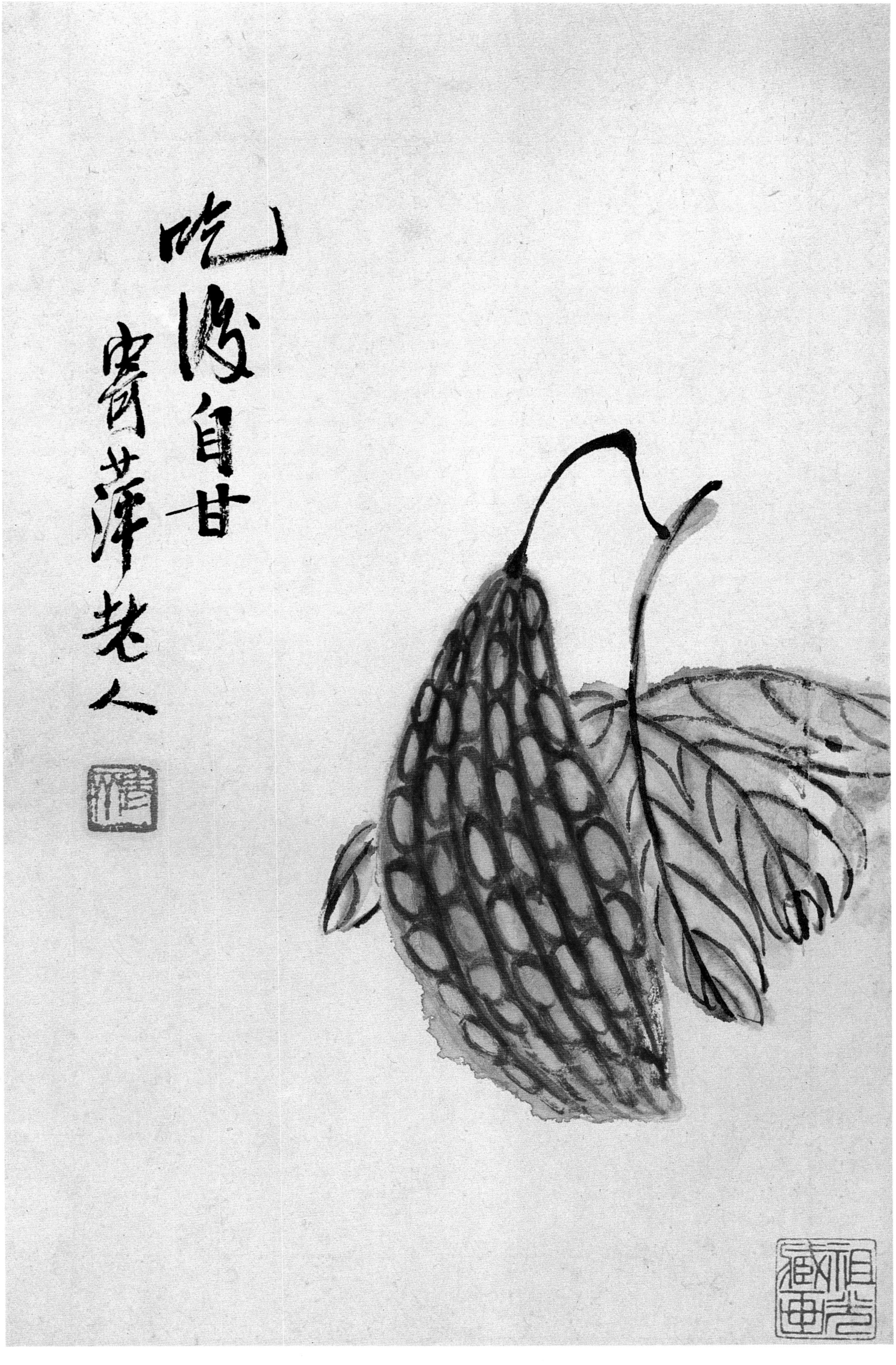

二四六　花果（册頁之八）　約三十年代初期　縱二九厘米　橫一八厘米

二四七　群芳争艷　約三十年代初期　縱八八厘米　橫一七二厘米

二四八　公鷄石榴　約三十年代初期　縱一五九厘米　橫四三厘米

公鷄石榴（局部）

二四九　枇杷　約三十年代初期　縱一三二厘米　橫三二・一厘米

枇杷（局部）

二五〇

雙壽圖　約三十年代初期　縱一八二厘米　橫四八厘米

雙壽圖（局部）

二五一　雛鷄　約三十年代初期　縱七〇厘米　橫三五厘米

二五二 上學圖 約三十年代初期 縱一〇四・八厘米 橫二二・五厘米

二五三　芋葉青蛙　約三十年代初期　縱九七厘米　横三二厘米

二五四　芋葉螃蟹　約三十年代初期　縱一三五・八厘米　橫三四・二厘米

二五五　架豆蜻蜓　約三十年代初期　縱一三五·五厘米　橫三二·五厘米

二五六　芋頭蘿蔔　約三十年代初期　縱七四厘米　橫三三厘米

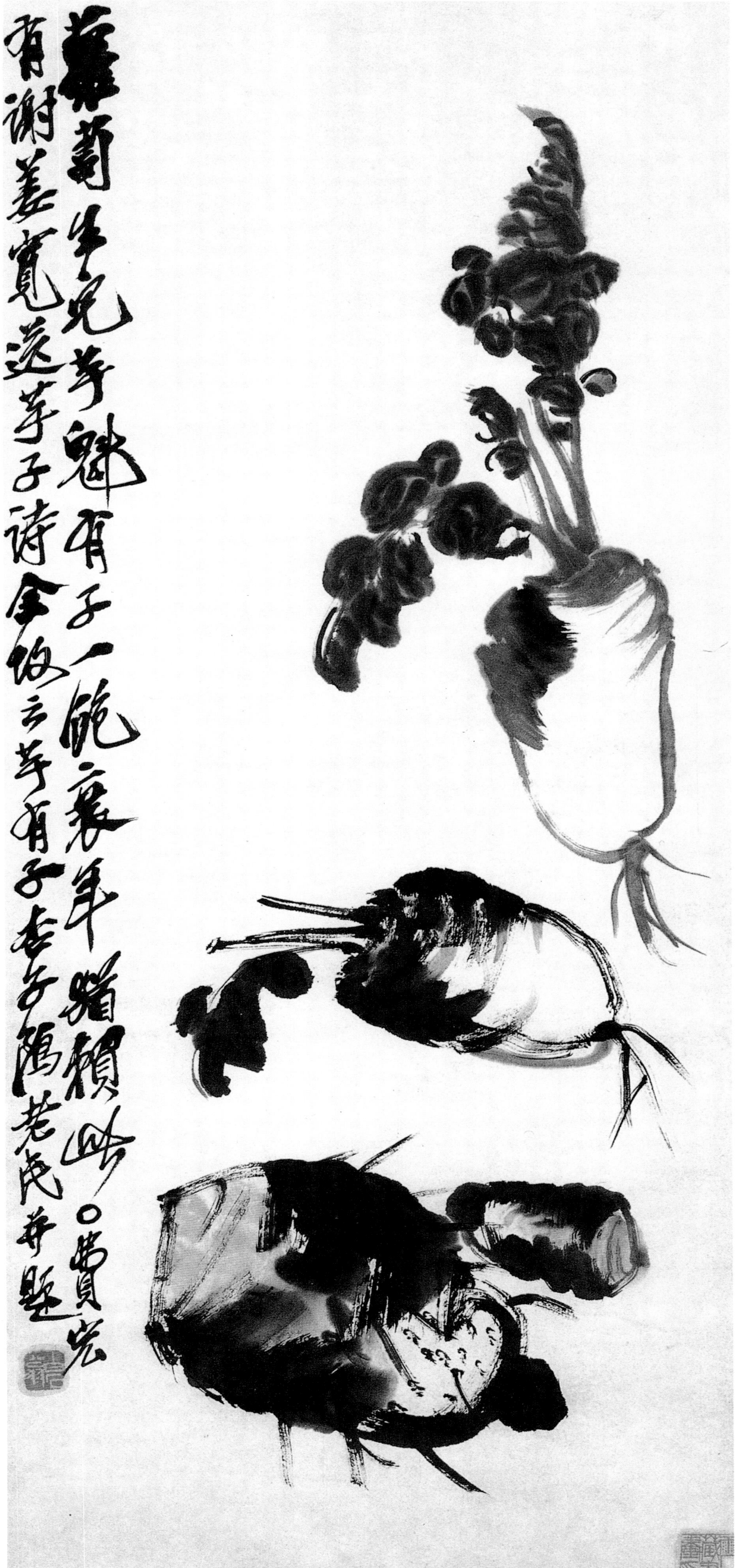

二五七　南瓜麻雀（蔬果花鳥草蟲册頁之一）約三十年代初期　縱二七厘米　橫三三·五厘米

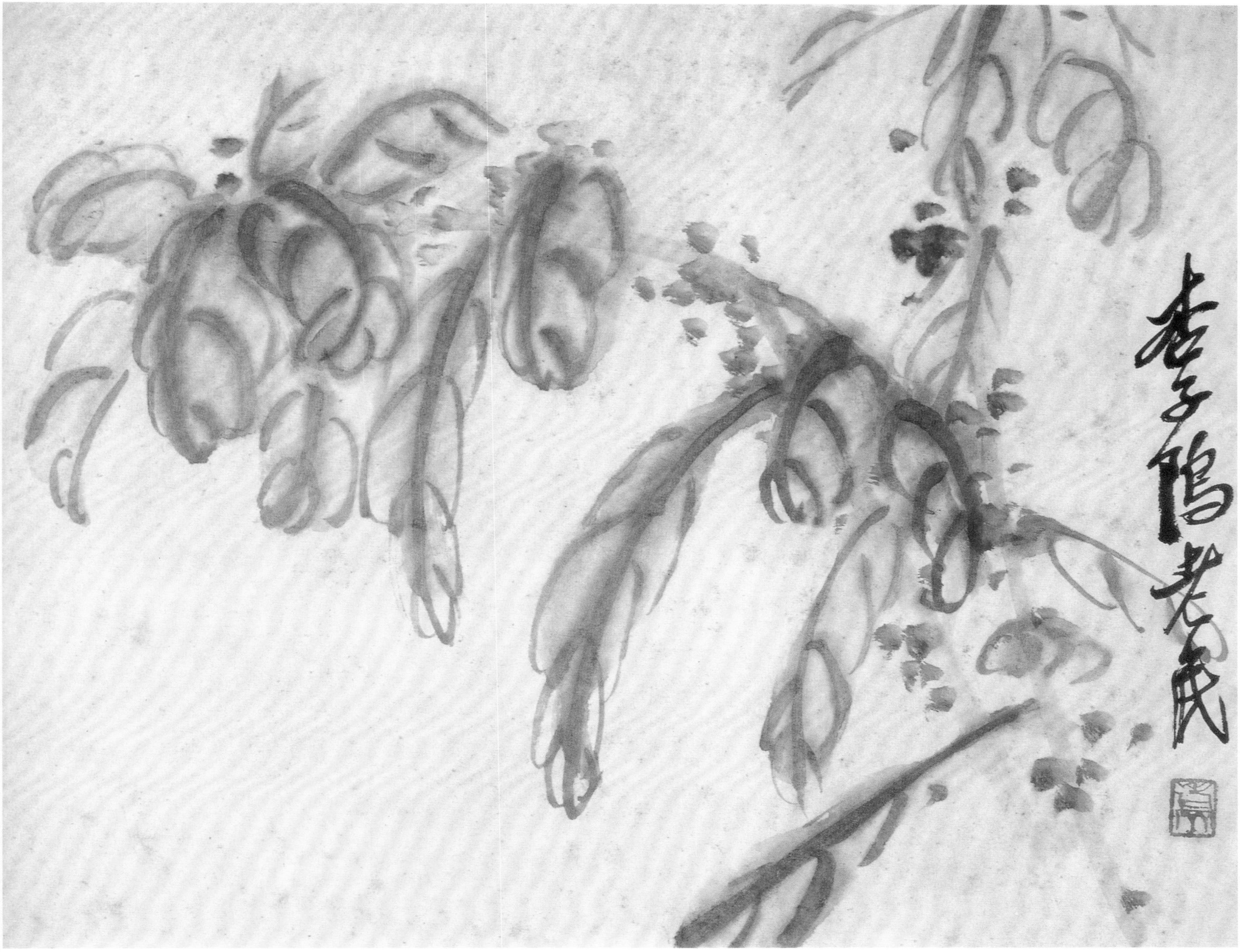

二五八　雁來紅（蔬果花鳥草蟲冊頁之二）約三十年代初期　縱二七厘米　橫三三·五厘米

二五九　山茶花（蔬果花鳥草蟲册頁之三）約三十年代初期　縱二七厘米　横三三·五厘米

二六〇　荷花蜻蜓（蔬果花鳥草蟲册頁之四）　約三十年代初期　縱二七厘米　横三三·五厘米

二六一　菊花（蔬果花鳥草蟲册頁之五）約三十年代初期　縱二七厘米　横三三·五厘米

二六二　海棠花（蔬果花鳥草蟲册頁之六）　約三十年代初期　縱二七厘米　横三三·五厘米

二六三　玉蘭八哥（蔬果花鳥草蟲册頁之七）約三十年代初期　縱二七厘米　横三三·五厘米

二六四　梅花（蔬果花鳥草蟲册頁之八）　約三十年代初期　縱二七厘米　橫三三·五厘米

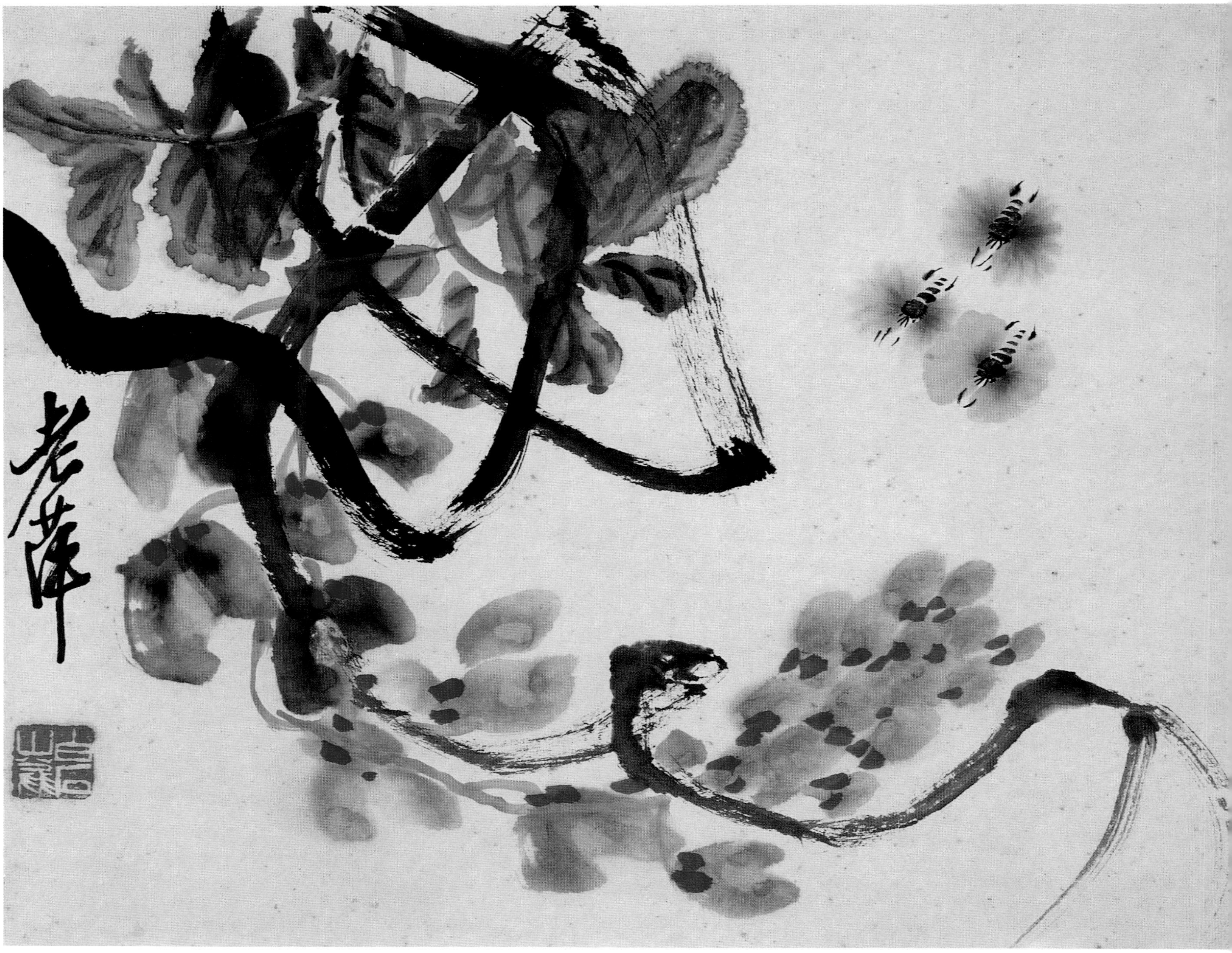

二六五　紫藤蜜蜂（蔬果花鳥草蟲册頁之九）約三十年代初期　縱二七厘米　横三三·五厘米

二六六　鵪鶉 約三十年代初期　縱二三厘米　橫二四厘米

二六七　荷花　約三十年代初期　縱九二厘米　橫四九厘米

二六八 柿子 約三十年代初期 縱一三〇厘米 橫三三厘米

二六九　白菜草菇　約三十年代初期　縱八二·五厘米　橫五三厘米

二七〇　紫藤蜜蜂　約三十年代初期　縱九七厘米　橫四七厘米

二七一　芙蓉小魚　約三十年代初期　縱一三五厘米　橫三四厘米

芙蓉小魚（局部）

二七二　松鷹　約三十年代初期　縱一三五·七厘米　橫三四厘米

二七三　荷花蜻蜓　約三十年代初期　縱三四·五厘米　橫二三·五厘米

三百石印富翁白石寿天用事之年画

寄萍堂上老人白石作

二七五　梅花鸚鵡　約三十年代初期　縱三三厘米　橫二九厘米

二七四　穀穗蚱蜢　約三十年代初期　縱三四·五厘米　橫二三·五厘米

二七六　牽牛蜜蜂　約三十年代初期　縱一七·一厘米　橫五二厘米

二七七　雛鷄幼鴨　約三十年代初期　縱六七・五厘米　橫三四厘米

二七八　芭蕉　約三十年代初期　縱一三三·三厘米　橫三二·七厘米

二七九　竹簍荔枝

約三十年代初期　縱一一九厘米　橫三〇厘米

二八〇　栗子荸薺

約三十年代初期　縱九四厘米　橫四四厘米

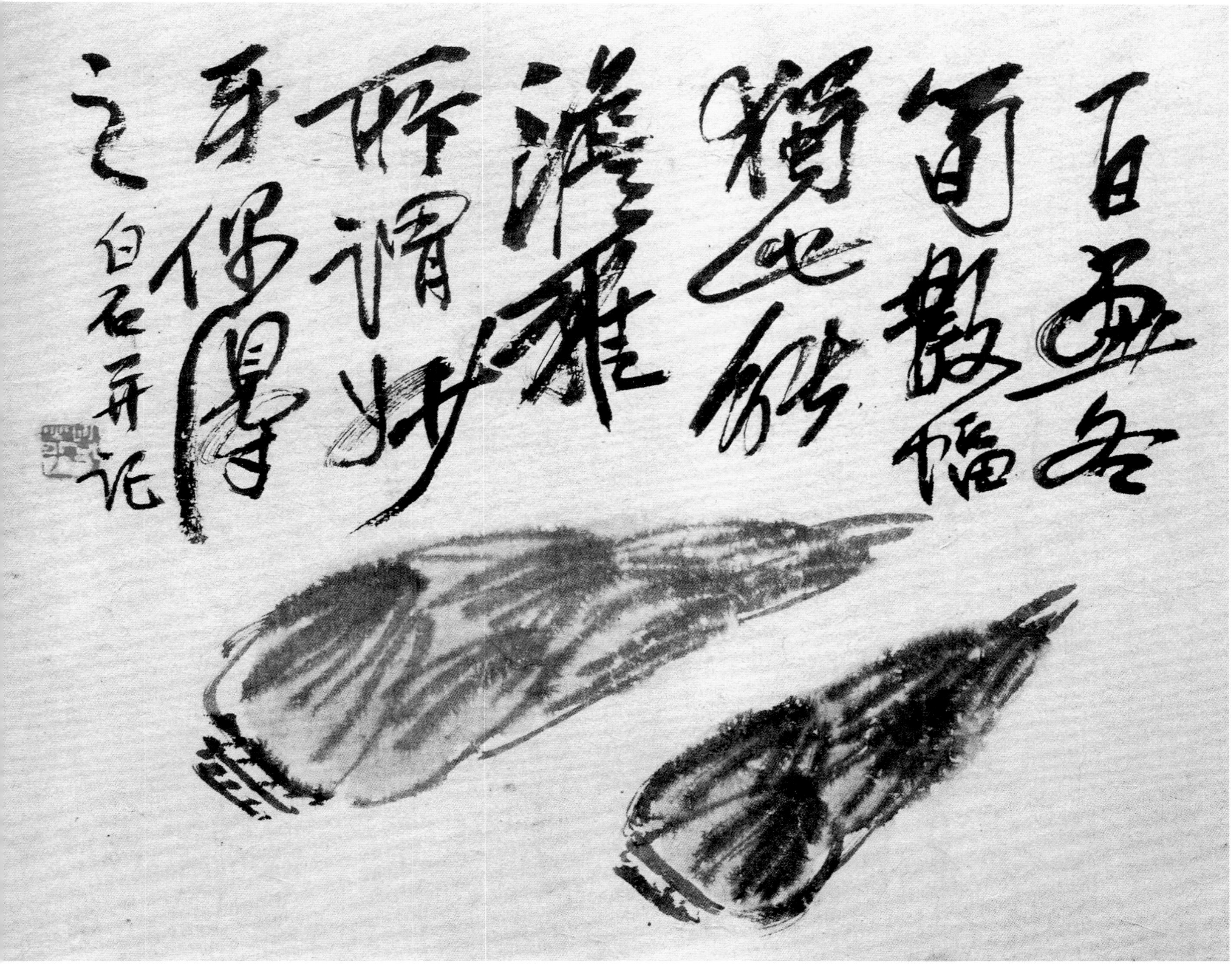

二八一　笋　約三十年代初期　縱二一厘米　橫二六厘米

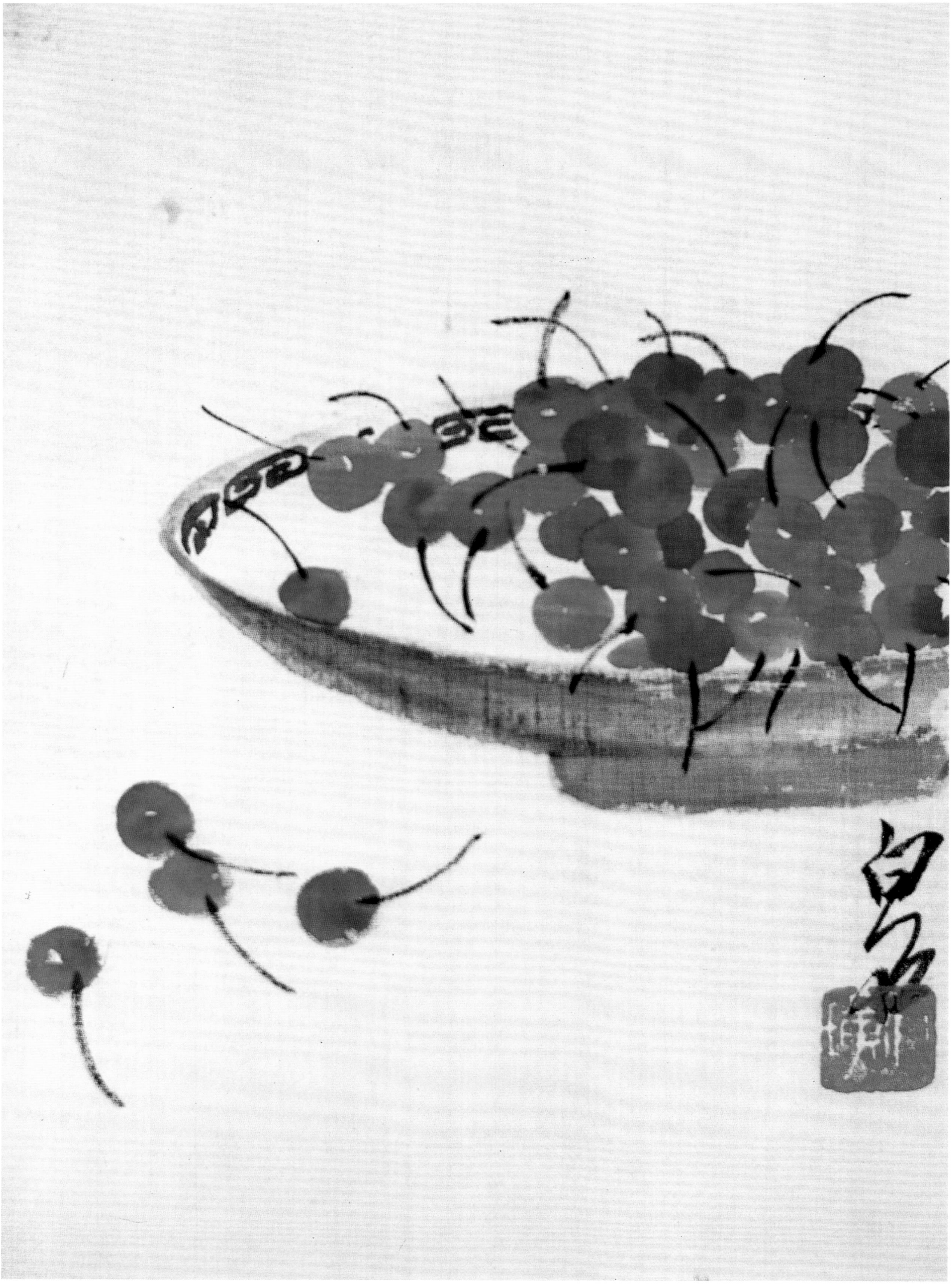

二八二　櫻桃（花鳥草蟲册頁之一）約三十年代初期　縱二三厘米　橫一七厘米

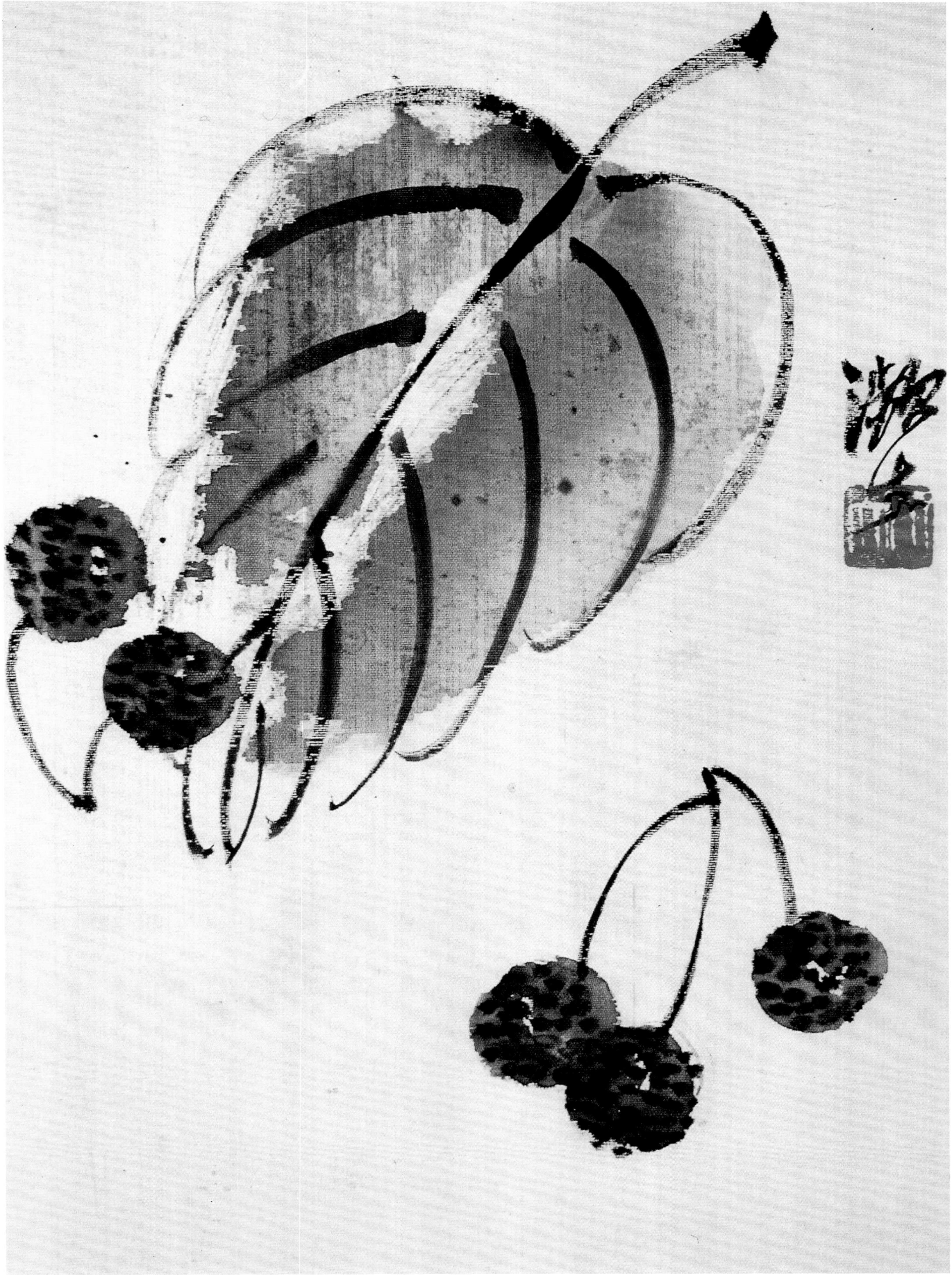

二八三　桑葉（花鳥草蟲冊頁之二）約三十年代初期　縱二三厘米　横一七厘米

二八四　藤蘿（花鳥草蟲册頁之三）約三十年代初期　縱二三厘米　横一七厘米

二八五　荷塘（花鳥草蟲册頁之四）約三十年代初期　縱二三厘米　横一七厘米

二八六　柳牛（花鳥草蟲册頁之五）　約三十年代初期　縱二三厘米　横一七厘米

二八七　柳樹風帆　（花鳥草蟲册頁之六）　約三十年代初期　縱二三厘米　橫一七厘米

二八八　鸕鶿（花鳥草蟲册頁之七）約三十年代初期　縱二三厘米　橫一七厘米

二八九　蜘蛛（花鳥草蟲册頁之八）約三十年代初期　縱二三厘米　橫一七厘米

二九〇　雙魚　（花鳥草蟲册頁之九）　約三十年代初期　縱二三厘米　横一七厘米

二九一　稻穗蝗蟲（花鳥草蟲册頁之十）　約三十年代初期　縱二三厘米　橫一七厘米

二九二　葫蘆 約三十年代初期　縱三六·五厘米　橫二六·五厘米

二九三　梨花蝴蝶　約三十年代初期　縱三六·五厘米　橫二六·五厘米

二九四

雛鷄

約三十年代初期　縱一三一厘米　橫二九厘米

二九五　松鷹圖　約三十年代初期　縱一三五厘米　橫三三厘米

二九六　藤蘿　約三十年代初期　縱一三四厘米　橫四六厘米

二九七　天竹　約三十年代初期　縱八九·七厘米　橫四七·二厘米

此家幸有炊煙起鄰叟尤窺粒米無見我牆頭天竺子
齊家樹結珊瑚珠
第一行第二字本居家
三百石印富翁齊璜

二九八

牡丹白頭翁

約三十年代初期　縱一〇三厘米　橫三三厘米

二九九 柿樹

約三十年代初期 縱一三二・五厘米 橫三二・五厘米

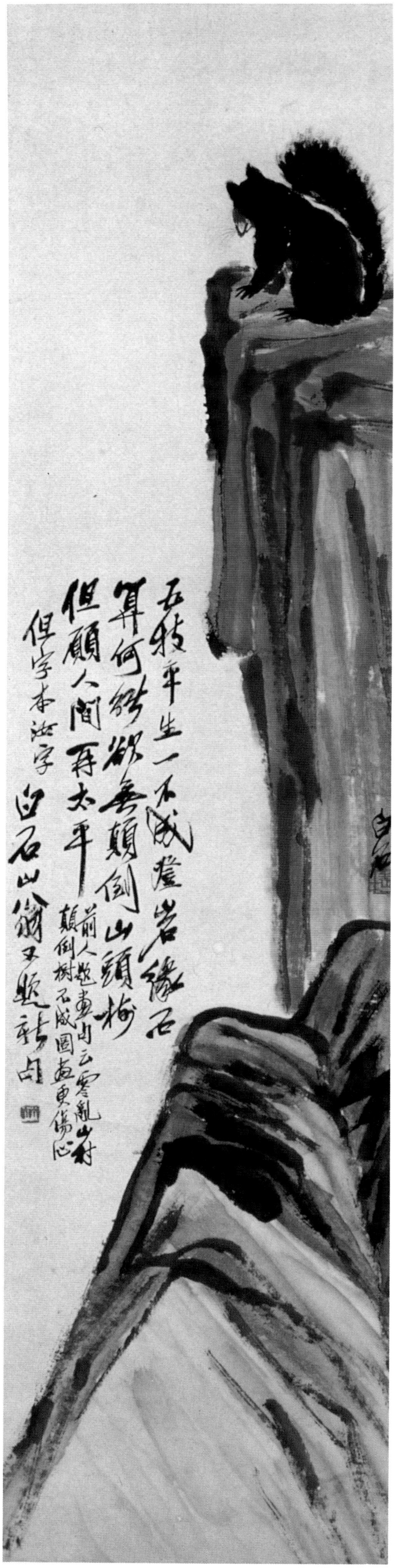

三〇〇 山石松鼠 約三十年代初期 縱一三六·五厘米 橫三二厘米

三〇一　蓼花　約三十年代初期　縱九七厘米　橫三一・五厘米

三〇二 蘆蟹 約三十年代初期 縱一三二厘米 橫四〇厘米

著録·注釋

繪畫

1928—30年代初期

1. 漁翁

立軸

紙本水墨設色

134.5×33.4cm

1928年

款題：

看著筠籃有所思。湖乾海涸欲何之。不愁未有明朝酒。竊恐空籃徵税时。白石山翁并題新句。

泊廬仁弟法論。戊辰又二月。小兄齊璜持贈。

印章：

老白（白文）　木人（朱文）

白石翁（白文）

收藏：

中國美術館

著録：

《齊白石繪畫精品選》第207頁，董玉龍主編，人民美術出版社，1991年，北京。

2. 得財圖

立軸

紙本水墨設色

93×43cm

1928年

款題：

得財（篆）。

豺狼滿地。何處爬尋。四圍野霧。一簍雲陰。春來無木葉。冬過少松針。明日敷炊心足矣。朋儕猶道最貪淫。白石山翁造稿并題新句。誦昭畫家清論。戊辰春。齊璜。

印章：

老白（白文）　木人（朱文）

收藏：

北京市文物公司

著録：

《齊白石書畫集》，人民美術出版社，1986年，北京。

《齊白石繪畫精萃》第41圖，秦公、少楷主編，吉林美術出版社，1994年，長春。

《齊白石畫展》，龍華堂發行，平成二年，日本。

注釋：

《得財圖》畫過多幅，此圖為較早者。

3. 得財

立軸

紙本水墨設色

96.5×44.5cm

約1928年

款題：

得財（篆）。

三百石印富翁齊璜意造并篆。

印章：

木人（朱文）

白石翁（白文）

收藏印：我家歡喜（朱文）

收藏：

楊永德

著録：

《齊白石作品選集》第86圖，黎錦熙、齊良已編，人民美術出版社，1959年，北京。

《楊永德藏齊白石書畫》，中國嘉德’95秋季拍賣會圖録第236號，1995年，北京。

4. 白衣大士

立軸

紙本墨筆設色

136×36cm

1928年

款題：

白衣大士（篆）。

冷盦（庵）先生清供。戊辰夏五月。畫（我）家舊稿。时同居京華。齊璜。

印章：

木居士（白文）

收藏：

私人

著録：

《齊白石繪畫精品集》第19頁，人民美術出版社，1991年，北京。

5. 柳橋獨步

立軸

紙本水墨設色

139×92cm

1928年

款題：

余年三十時有臨稿於舊殘書中。今子彬先生見之。命畫。遂記。戊辰四月。齊璜白石。

印章：

白石翁（白文）　齊木人（朱文）

收藏：

私人

著録：

《齊白石畫集》，文物出版社，1992年，北京。

6. 山水

立軸

紙本水墨

135.5×34cm

1928年

款題：

好山行過屢回頭。戊己（巳）連年憶粵游（遊）。亦是故人經過地。萬杉深處著高樓。

舟虚仁弟游（遊）廣州越數寒暑。此山景必常看過。惜余忘其山名也。戊辰暮春。齊璜并題記。

印章：

木居士（白文）

收藏印：仁和沈氏曾藏（朱文）

收藏：

夏衍原藏，現藏浙江省博物館。

7. 三壽圖

立軸

紙本水墨設色

112×52cm

1928年

款題：

三壽圖。

戊辰秋七月。為子林先生壽。璜。

印章：

老白（白文）

木人（朱文）

收藏印：子林心賞（朱文）

蟄廬所藏白石山翁畫（白文）

收藏：

霍宗傑

著録：

《齊白石畫海外藏珍》第 23 圖，王大山主編，榮寶齋（香港）有限公司，1994 年，香港。

8. 白蕉山居

立軸

紙本水墨設色

120×55cm

1928 年

款題：

樊林仁兄清鑒。戊辰。明日重陽。弟齊璜。

印章：

白石翁（白文）

老木（朱文）

收藏：

唐雲原藏，現藏炎黄藝術館藝術中心。

9. 雪山策杖

立軸

紙本水墨設色

78.5×34.2cm

1928 年

款題：

余數歲學畫人物。三十歲後學畫山水。四十歲後專畫花草蟲鳥。今冷厂（庵）先生一日携帋（紙）委畫雪景。余与山水斷緣已二十餘。何能成畫。然先生之來意不可却。雖醜（丑）絶。不得已也。戊辰冬十月。齊璜記。

印章：

齊大（朱文）

收藏：

私人

著録：

《齊白石繪畫精品集》第 17 頁，人民美術出版社，1991 年，北京。

注釋：

齊白石在此圖跋中所言“三十歲後學畫山水，四十歲後專畫花草蟲鳥”，乃隨意之言，并不是史實。事實上，白石 30 歲前畫人物最多，40 歲後也畫山水。如 48 歲所畫《借山圖》、《石門二十四景》等，均為著名山水畫。跋中又言“余與山水斷緣已二十餘，何能成畫？”亦應作如此解。

10. 青松白屋圖

立軸

紙本水墨設色

156×44cm

1928 年

款題：

戊辰冬十一月。天日無寒。畫此与直心先生别。时同客燕京。

印章：

老白（白文）

老夫也在皮毛類（白文）

收藏印：湖南省博物館收藏印（朱文）

收藏：

湖南省博物館

11. 溪橋春柳圖

立軸

紙本水墨設色

167×42cm

1928 年

款題：

溪橋春柳圖（篆）。

冷盦（庵）弟法論。戊寅冬。小兄璜。

印章：

老木（朱文）

收藏：

胡槖原藏，現藏炎黄藝術館藝術中心。

著録：

《齊白石畫册》，上海中華書局，1931 年，上海。

注釋：

此圖曾發表於 1931 年由上海中華書局出版的《齊白石畫册》，畫册由樊樊山書封面，吴昌碩署封二（甲子年題）。但此作有白石“戊寅冬”的款題。戊寅乃 1938 年，白石不可能在 1931 年發表他 1938 年的畫作，祇能是他一時筆誤，將年款寫錯了。照常理推測，寫干支款一般不會寫錯第一個字，而多易寫錯第二個字。因此，最大的可能是將戊辰（1928）寫成了“戊寅”。從繪畫、書法風格看，此作也與戊辰年之作一致。故定為戊辰（1928 年）。

12. 瀑布圖

立軸

紙本水墨

185×48cm

1928 年

款題：

戊辰秋月為冷盦（庵）仁兄法家再畫此。齊璜。

印章：

白石翁（白文）

老木（朱文）

收藏：

私人

13. 枇杷

立軸

紙本水墨設色

134×33cm

1928 年

款題：

寄萍堂上老人齊璜寫意。俊甫十三兄先生論定。戊辰秋七月。弟璜。

印章：

齊璜之印（白文）

木人（朱文）　白石翁（白文）

收藏：

遼寧省博物館

著録：

《齊白石畫集》第 29 圖，遼寧省博物館編，遼寧美術出版社，1961 年，瀋陽。

14. 松鷹圖

立軸

紙本水墨設色

135.8×33.4cm

1928 年

款題：

榕浦先生清正。戊辰秋七月中。齊璜製。

印章：

白石翁（白文）

收藏印：□

收藏：

天津人民美術出版社

15. 仙鶴

立軸

紙本水墨設色

172×49cm

1928 年

款題：

欲洗霜翎下澗邊。却嫌菱刺污香泉。沙鷗浦雁應驚讶。一舉扶摇直上天。子林仁兄先生多壽。时戊辰秋七月。製于京華。并借褚載詩補空。弟齊璜拜祝。

子林先生藏余畫將百幅。可謂有知己之恩。先生今年五十矣。贈此為壽。但願一識韓荆州。聞先生已有同情。感而記之。齊璜又及。

印章：

白石翁(白文)　齊璜之印(白文)

木人(朱文)　樂石室(朱文)

三百石印富翁(朱文)

收藏印：□

收藏：

霍宗傑

著録：

《齊白石畫海外藏珍》第 22 圖，王大山主編，榮寶齋（香港）有限公司，1994 年，香港。

16. 香遠益清圖

立軸

紙本水墨

66×33cm

1928 年

款題：

蘭蕙在野。香遠益清。齊璜。

丹仲仁兄清正。戊辰秋。齊璜。

印章：

白石翁(白文)　木人(朱文)

收藏印：大希鑑賞(朱文、白文)

收藏：

私人

著録：

《翰海’95 春季拍賣會・中國繪畫（近現代）》第 47 號，1995 年，北京。

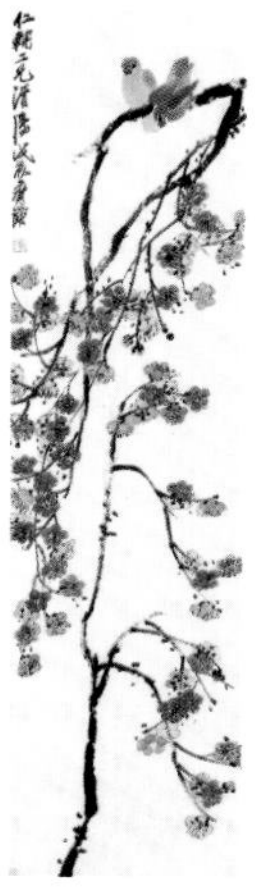

17. 梅花小鳥

立軸

紙本水墨設色

102×34cm

1928 年

款題：

仁輔二兄清屬。戊辰。齊璜。

印章：

木人(朱文)

收藏印：□

收藏：

霍宗傑

著録：

《齊白石畫海外藏珍》第 26 圖，王大山主編，榮寶齋（香港）有限公司，1994 年，香港。

18. 酒蟹圖

立軸

紙本水墨設色

135×33cm

1928 年

款題：

有酒有蟹。偷醉何妨。老年不暇為誰忙。罔雅先生清正。戊辰。齊璜。

印章：

老白(白文)

收藏：

首都博物館

19. 梅石八哥

立軸

紙本水墨設色

134×33cm

1928 年

款題：

寄萍堂上老人畫。时居京華第十二年。

印章：

木人(朱文)

收藏：

北京市文物公司

著録：

《齊白石繪畫精萃》第 28 圖，秦公、少楷主編，吉林美術出版社，1994 年，長春。

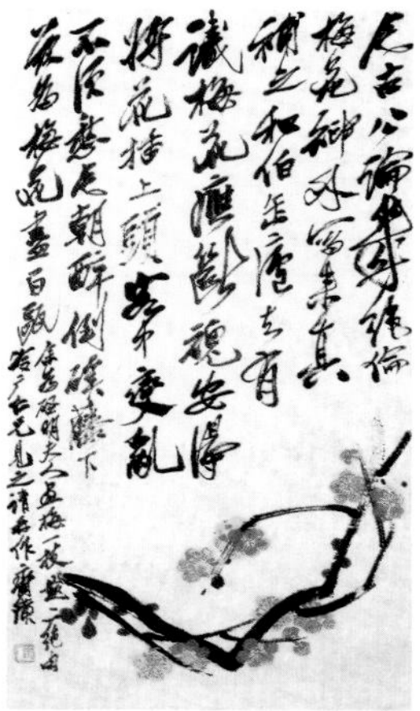

20. 梅花

立軸

紙本水墨設色

56×31cm

約 1928 年

款題：

今古公論幾絶倫。梅花神外寫來真。補之和伯缶廬去。有識梅花應斷魂。安得將花插上頭。客中變亂不須愁。今朝醉倒硋藤下。欲為梅花盡百甌。余為啟明夫人畫梅一枝。題二絶句。冷广(庵)仁兄見之請再作。齊璜。

印章：

木人(朱文)

收藏：

私人

著録：

《齊白石畫法與欣賞》第 70 圖，胡佩衡、胡橐著，人民美術出版社，1959 年，北京。

《齊白石繪畫精品集》第 70 頁，人民美術出版社，1991 年，北京。

注釋：

胡佩衡（即畫中所說“冷庵”）、胡橐著《齊白石畫法與欣賞》定此畫為白石 66 歲（1928 年戊辰）作，應是可靠的。書法也屬於 1928 年前後的風格。

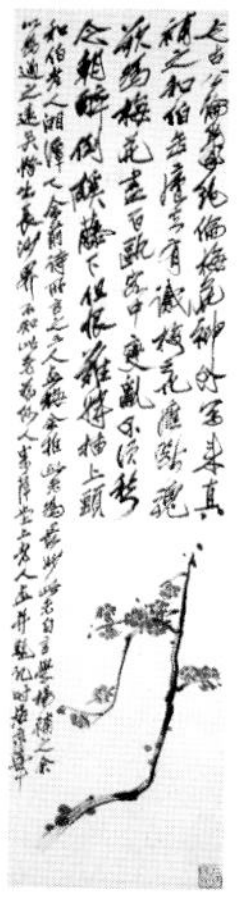

21. 紅梅

立軸

紙本水墨設色

136×33cm

約 1928 年

款題：

今古公論幾絶倫。梅花神外寫來真。補之和伯缶廬去。有識梅花應斷魂。欲寫梅花盡百甌。客中變亂不須愁。今朝醉倒硋藤下。但恨難將插上頭。和伯老人。湘潭人。余前詩所言之。三人畫梅。余推此老為最妙。此老自言學楊補之。余以為過之遠矣。惜出長沙界。不知此老為何人。寄萍堂上老人畫并題記。時居京華。

印章：

木人（朱文）

三百石印富翁（朱文）

收藏：

北京畫院

注釋：

“補之和伯缶廬去”，說的是與白石本人有藝術淵源的三位畫梅高手。補之即宋代畫家楊無咎（1097年—1169年），字補之，號逃禪老人，工詩善書畫，以畫梅花名冠古今。尹和伯（1858年—1919年）名金陽，號和光老人，湘潭人，工畫花卉草蟲，風格縝密工雅，尤擅畫梅。白石年輕時曾向他請教畫梅法，對和伯畫梅一直十分欽佩。陳師曾1917年題白石畫墨梅詩有“何必趨步尹和翁”句，勸他脱開尹氏和前人成法，自創一格。缶廬即吴昌碩（1844年—1927年），是近代中國最負盛名的水墨畫家之一，以篆籀筆法畫梅，對白石晚年畫梅影響最大。

22. 山溪蝦戲圖

立軸

紙本水墨設色

137×33.5cm

1929年

款題：

余避湘亂。偷活長安。第十三年春二月之初。忽一日大風。正為子林先生製此幅。黄沙堆案。山姬曰。今日何日。天怒至此。余因記之。弟璜。

印章：

白石翁（白文）

老夫也在皮毛類（白文）

收藏印：子林心賞（朱文）

收藏：

北京榮寶齋

23. 鴛鴦荷花

立軸

紙本水墨設色

124×32cm

1929年

款題：

心厂（庵）仁弟佳期。己巳三月。兄齊璜。

予之畫稍可觀者在七十歲先後。心厂（庵）弟今携來加題記。其意在珍重。白石慚愧萬分。甲申。

印章：

木居士（白文）　白石老人（白文）

收藏：

四川美術學院

24. 蓮蓬翠鳥

立軸

紙本水墨設色

101.1×33.6cm

1929年

款題：

己巳春三月。齊璜。白石老人时居舊京。

印章：

木居士（白文）

收藏：

北京故宫博物院

25. 菊花群鷄

立軸

紙本水墨設色

148×41cm

1929年

款題：

己巳夏五月。齊璜畫于舊京。

印章：

木居士（白文）

收藏：

上海市文物商店

26. 藤蘿蜜蜂

立軸

紙本水墨設色

135×35cm

1929年

款題：

半畝荒園久未耕。只因天日失陰晴。旁人猶道山家好。屋角垂香發紫藤。己巳六月中。齊璜題舊句。

印章：

木人（朱文）　木居士（白文）

收藏印：湖南省博物館藏品章（朱文）

收藏：

湖南省博物館

27. 游魚圖

立軸

紙本水墨

132×34cm

1929年

款題：

璧城女弟子清屬。己巳秋八月製于舊京。白石山翁璜。

印章：

木人（朱文）

白石翁（白文）

收藏：

湖南省博物館

28. 海棠（花卉條屏之一）

立軸

紙本水墨設色

136×31cm

1929年

款題：

雨滋霞襯入朱顏。
月下疑從姑射還。
最是春工多巧思。
著將色在淺深間。

寄萍堂上老人。借張新句。

印章：

木居士（白文）

收藏印：湫平藏印（朱文）

收藏：

王方宇

著録：

《看齊白石畫》第28圖，王方宇、許芥昱合著，藝術圖書公司，1979年，臺北。

29. 杏花（花卉條屏之二）

立軸

紙本水墨設色

136×31cm

1929年

款題：

白石山翁。

印章：

白石翁（白文）

收藏印：湫平藏印（朱文）

收藏：

王方宇

著録：

《看齊白石畫》第29圖，王方宇、許芥昱合著，藝術圖書公司，1979年，臺北。

30. 梅花（花卉條屏之三）

立軸

紙本水墨設色

136×31cm

1929年

款題：

湫平女弟清屬。己巳秋。齊璜。

印章：

白石老人(白文)

收藏印：湫平藏印(朱文)

收藏：

王方宇

著録：

《看齊白石畫》第30圖，王方宇、許芥昱合著，藝術圖書公司，1979年，臺北。

31. 香滿筠籃

立軸

紙本水墨設色

137.7×33.4cm

1929年

款題：

丹砂點上溪藤㬱(紙)。

香滿筠藍(籃)清露滋。

果類自當推第一。

世間尤有昔人知。

白石山翁齊璜并題新句。

濤石先生清鑒。己巳冬十月。齊璜再題。

印章：

木居士(白文)　白石翁(白文)

甑屋(朱文)

收藏：

中國美術館

著録：

《齊白石作品集》第31圖，董玉龍主编，天津人民美術出版社，1990年，天津。

32. 松鷹圖

立軸

紙本水墨

177.5×47.5cm

1929年

款題：

松邨(村)六兄清屬。齊璜客燕京第十三年作也。

印章：

白石翁(白文)

收藏：

鄒佩珠

33. 豆莢

立軸

紙本水墨

132.5×31.5cm

1929年

款題：

最難捨。小有邱(丘)壑。豆棚瓜架。也曾親手來扶著。只今别到十三年。園林一瞬成荒落。是誰許作主人翁。明月清風。當年原有約。借山吟館主者畫并題長短新句。时居燕京第十三年。

印章：

白石翁(白文)

收藏：

北京市文物公司

著録：

《齊白石繪畫精萃》第30圖，秦公、少楷主编，吉林美術出版社，1994年，長春。

34. 紅梅

扇面

紙本水墨設色

19×53.5cm

約1929年

款題：

却勝玄都觀裏花。石坡仁兄清屬。齊璜。

印章：

木人(朱文)

收藏：

天津人民美術出版社

35. 柳牛圖

立軸

紙本水墨

155×37.5cm

1929年

款題：

冷龕(庵)仁兄雅屬。时己巳。昨日元日。畫于寄萍堂上。鑪(爐)火無寒。齊璜。

印章：

齊大(朱文)

甑屋(朱文)

收藏：

胡橐原藏，現藏炎黄藝術館藝術中心。

36. 柳塘游鴨

立軸

紙本水墨設色

137×35cm

1929年

款題：

玄伯仁弟雅正。己巳夏。齊璜製。

印章：

木居士(白文)

收藏：

北京市文物公司

著録：

《齊白石繪畫精萃》第39圖，秦公、少楷主编，吉林美術出版社，1994年，長春。

37. 柳岸行吟圖

立軸

紙本水墨設色

94×34cm

1929年

款題：

智超仁弟清屬。己巳冬。齊璜。

印章：

老白(白文)

收藏：

陝西美術家協會

注釋：

李智超(1900年—1978年)，河北安新人，白石弟子，畫家、書畫鑒定家，曾任《中國畫》主编，天津藝術學院(今天津美術學院)教授。

38. 放風箏

扇面

紙本水墨設色

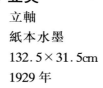

18×54cm
1929 年
款題：
冷盦(庵)先生法正。己巳夏。齊璜。
印章：
木人(朱文)
收藏：
私人
著録：
《齊白石繪畫精品集》第 20—21 頁，人民美術出版社，1991 年，北京。

39. 愁過窄道圖

立軸
紙本水墨設色
103.5×45.2cm
1929 年
款題：
何處安閑著醉翁。愁過窄道樹陰濃。畫山易酒無人要。隔岸徒看望子風。己巳。為石坡仁兄製于燕京。齊璜白石山翁并題。
印章：
老白(白文)
收藏：
中國美術館
著録：
《齊白石作品集》第 30 圖，董玉龍主编，天津人民美術出版社，1990 年，天津。

40. 秋水鸕鷀

立軸
紙本水墨設色
147×50cm
1929 年
款題：
己巳十月之初。齊璜。
印章：
齊璜(白文)
收藏：
私人

41. 無量壽佛

立軸
紙本水墨設色
66.7×32.8cm
1929 年
款題：
無量壽佛(篆)。
紫垣仁兄十年朋友也。嘗藏余畫。今又索余畫佛像。恭應之。己巳秋七月。明日七日矣。齊璜并記。
印章：
老白(白文)　甑屋(朱文)
收藏：
楊永德
著録：
《楊永德藏齊白石書畫》，中國嘉德’95 秋季拍賣會圖録第 315 號，1995 年，北京。

42. 蝦

扇面
紙本水墨
18.4×51.5cm
1929 年
款題：
己巳冬十二月。為大年仁兄畫。時居舊京。齊璜。
印章：
老白(白文)
收藏：
西安美術學院

43. 雨後雲山圖

橫幅
紙本水墨
36×130cm
約 20 年代晚期
款題：
雨後雲山圖(篆)。
冷盦(庵)畫友清鑒。齊璜。
印章：
齊大(朱文)　白石翁(白文)
收藏：
胡末

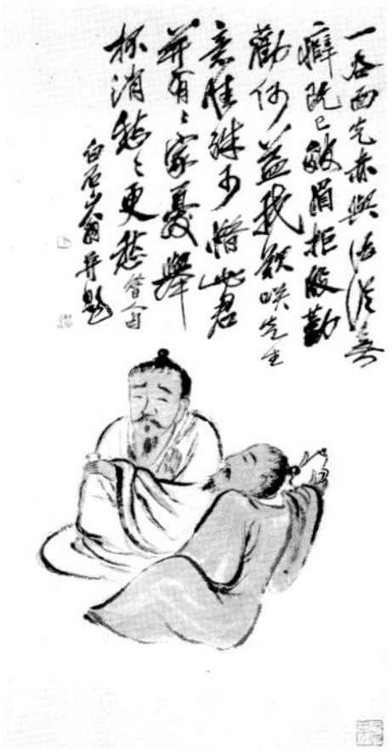

44. 却飲圖

立軸
紙本水墨設色
89×45.5cm
約 20 年代晚期
款題：
一吞面先赤。
與酒從無癖。
既已皺眉拒。
殷勤勸何益。
我欲笑先生。
意佳殊可惜。
此君并有有家憂。
舉杯消愁愁更愁。
昔人句。白石山翁并題。
印章：
木人(朱文)　白石翁(白文)
遇員因方(朱文)
收藏：
中央工藝美術學院

45. 無魚鈎留圖

立軸
紙本水墨設色
144×39.5cm
約 20 年代晚期
款題：
日長最好晚凉幽。
柳外閒(閑)盟水上鷗。
不使山川空寂寞。
却無魚處且鈎留。
題舊句。齊璜畫于京華。
印章：
木人(朱文)
收藏：
天津人民美術出版社

46. 石村圖

立軸
紙本水墨設色
165×62cm
約 20 年代晚期

款題：
八硯樓主者。

印章：
白石翁(白文)

收藏：
唐雲原藏，現藏炎黃藝術館藝術中心。

著録：
《齊白石畫册》，上海中華書局，1931 年，上海。

47. 白石老屋

立軸
紙本水墨設色
135×64cm
約 20 年代晚期

款題：
白石老屋(篆)。
冷龕(庵)弟論。兄璜。

印章：
白石翁(白文)　甑屋(朱文)

收藏：
胡末

48. 柏屋圖

立軸
紙本水墨設色
150×58cm
約 20 年代晚期

款題：
齊璜

印章：
老木(朱文)
白石翁(朱文)

收藏：
邵宇原藏，現藏梁穗。

49. 孤舟

立軸
紙本水墨
67×42cm
約 20 年代晚期

款題：

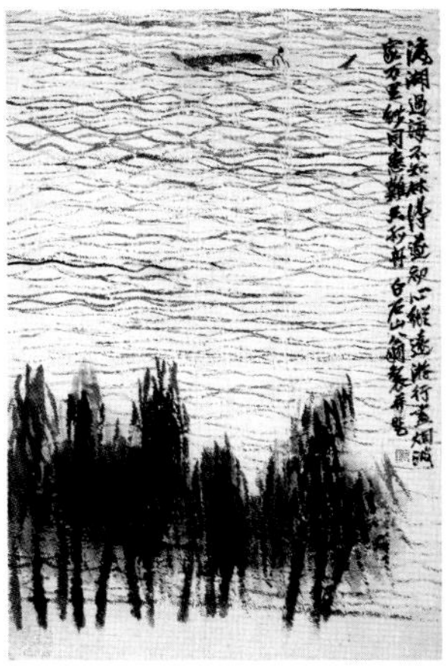

渡湖過海不知休。
得遂初心縱遠游(遊)。
行盡烟波家萬里。
能同患難只孤舟。
白石山翁製并題。

印章：
阿芝(朱文)　木居士(白文)
收藏印：湖南省文物管理委員會收藏(朱文)

收藏：
湖南省博物館

著録：
《齊白石繪畫選集》第 27 圖，湖南省博物館編，湖南美術出版社，1980 年，長沙。

50. 悟説山舍圖

横幅
紙本水墨設色
65×125cm
約 20 年代晚期

款題：
悟説山舍圖(篆)。
啟明夫人清鑒。齊璜。

印章：
老木(朱文)

收藏：
王雪濤原藏，現藏梁穗。

注釋：
1925 年，齊白石為好友朱悟園畫《悟説山舍圖》(見《齊白石作品集・第一集・繪畫》第 27 圖)。與此圖構圖、畫法基本相同，比較起來，此圖所畫更精緻，尤其竹林，刻畫更細、更滿，并在林中增畫了一紅衣人。為朱悟園所畫那幅題曰：“悟園仁兄先生以李白訪斛斯山人詩意屬繢圖，异日將按此買山隱居也。乙丑春正月，齊璜并記。”由此可知，“悟説山舍”乃取李白詩句為題。

51. 山水

立軸
紙本水墨設色
68×32cm
約 20 年代晚期

款題：
寄萍老人。
用我家法。

印章：
老齊郎(朱文)　悔烏堂(朱文)

收藏：
安性存

注釋：
《白石老人自傳》説 1935 年春回湘探親後，始刻“悔烏堂”印。此畫從風格看，應是 20 年代末所作。畫上“悔烏堂”印押在款題之上，顯係後來打上去的。

52. 雨歸圖

册頁
紙本水墨
39×43cm
約 20 年代晚期

款題：
直支仁兄先生教。白石璜。

印章：
阿芝(朱文)

收藏：
楊永德

著録：
《齊白石書畫集(北京市文物商店藏品)》第 61 圖，人民美術出版社，1986 年，北京。
《楊永德藏齊白石書畫》，中國嘉德’95 秋季拍賣會圖録第 337 號，

1995 年，北京。

注釋：

凌直支，名文淵，以字行。江蘇泰縣人，畢業於兩江優級師範學堂，辛亥革命後曾任職於財政部。善書畫，尤長花鳥，畫風似徐渭、陳淳（參見 1947 年《美術年鑒》及俞劍華編《中國美術家名人辭典》）。20 年代，齊白石與凌直支在北京多有詩畫交往。《齊白石作品集·第三集·詩》第 65—66 頁有《題山水畫壽直支先生尊堂上》：“筆端生趣故鄉風，柴火無寒布幕紅。奪取天功作公壽，數重山色萬株松。”

《白石詩草續集》（收入 1933 年至 1957 年之詩作）有《觀凌直支畫幅》詩：“十年朋友共燕龕，零落晨星別不堪。展捲梅花還憶舊，雪飛時節在江南。”表露出白石老人對老友別離的感慨與懷念。1937 年（丁丑）中秋，又有《題凌直友畫梅，即寄直支江蘇》詩：“不見萍翁越七年，邁持鐵拐學神仙。今夜虎丘來看月，此心還在簡齋先。”（同上引，第 106－107 頁）由此詩可知，凌直支 1930 年離開北京回江蘇，雖已與白石七年未相見，但彼此友情依舊。

53. 柳樹山石

鏡片
紙本水墨設色
47×41.1cm
約 20 年代晚期

款題：
白石為賓姬製此。

印章：
白石翁（白文）

收藏：
首都博物館

54. 春山風柳圖

立軸
紙本水墨設色
138.5×62cm

約 20 年代晚期

款題：
冷厂（庵）仁兄法論。齊璜白石。

印章：
白石翁（白文）
齊大（朱文）

收藏：
私人

著録：

《齊白石繪畫精品集》第 59 頁，人民美術出版社，1991 年，北京。

55. 新篁竹鷄

立軸
紙本水墨設色
110×32cm
約 20 年代晚期

款題：
白石山翁製。

印章：
齊大（朱文）
木人（朱文）

收藏：
湖南省博物館

著録：

《齊白石繪畫選集》第 16 圖，湖南省博物館編，湖南美術出版社，1980 年，長沙。

56. 蘆雁

立軸
紙本水墨
41.5×40cm
約 20 年代晚期

款題：
綺蘭先生正。白石老人璜。

印章：
齊伯子（白文）

收藏：
私人

著録：

《齊白石繪畫精品集》第 25 頁，人民美術出版社，1991 年，北京。

57. 江岸夕照

立軸
紙本水墨設色
38×50cm
約 20 年代晚期

款題：
白石山翁製。

印章：
木居士（白文）　白石翁（白文）
收藏印：湖南省博物館藏品章（朱文）
湖南省文物管理委員會收藏（朱文）

收藏：
湖南省博物館

58. 風竹山鷄

立軸
紙本水墨設色
99.5×33.5cm
約 20 年代晚期

款題：
杏子隖老民。用我家法畫。

印章：
木居士（白文）

收藏：
中央美術學院附屬中學

59. 菊花八哥

立軸
紙本水墨設色
136×34cm
約 20 年代晚期

款題：
八哥解語偏饒舌。
鸚鵡能言有是非。
省卻（却）人間煩惱事。
斜陽古樹看鴉歸。
三百石印富翁題舊

句。时居故都。

菊花正色未為工。

不入时人衆眼中。

草木也知通世法。

捨身學得牡丹紅。

菊花正色黄。白石山翁又題。

印章：

齊大(朱文)　苹翁(白文)

收藏：

私人

著録：

《齊白石畫集》第 24 圖，嚴欣强、金岩編，外文出版社，1990 年，北京。

60. 家鷄

立軸

紙本水墨設色

52×31.5cm

約 20 年代晚期

款題：

三百石印富翁製。

犬吠鴉鳴睡不寧。

誰教空手作良民。

家鷄夜半休饒舌。

未及啼時我已醒。

白石又題。

印章：

苹翁(朱文)　阿芝(白文)

收藏：

北京市文物公司

著録：

《齊白石繪畫精萃》第 103 圖，秦公、少楷主編，吉林美術出版社，1994 年，長春。

61. 籬菊圖

立軸

紙本水墨設色

131×33.3cm

約 20 年代晚期

款題：

白石山翁。

踏花蹶(蹄)爪不时來。

荒弃名園只蔓苔。

黄菊猶知籬外好。

著苗穿過者邊開。

白石又題。

印章：

老白(白文)

白石翁(白文)

三百石印富翁(朱文)

收藏：

私人

著録：

《齊白石畫集》第 47 圖，嚴欣强、金岩編，外文出版社，1990 年，北京。

62. 秋海棠

立軸

紙本水墨設色

134×33.5cm

約 20 年代晚期

款題：

滴滴臙(胭)脂短短叢。

飛來彩蝶占牆東。

鴛鴦簪冷紅新點。

蟋蟀欄低翠作籠。

借瞿佑詩前四句題畫。白石山翁。

印章：

白石翁(白文)

收藏：

北京畫院

63. 多子圖

立軸

紙本水墨

98×36cm

約 20 年代晚期

款題：

三百石印富翁齊白石作于京華。

多子(篆)。

六十後作。藏至九十二歲始付祖光鳳霞兒女同寶。壬辰八月廿又六日。同在京華。

印章：

齊大(朱文)　齊白石(白文)

收藏印：祖光藏画(朱文)

收藏：

吴祖光　新鳳霞

注釋：

吴祖光，著名戲劇家；新鳳霞，著名評劇表演藝術家，二人為夫婦。新鳳霞於 50 年代初拜白石老人為義父，并向老人學畫。吴祖光曾著《畫家齊白石》一書(北京出版社，1956 年)，齊白石在此畫跋中稱“祖光、鳳霞兒女”，因由此來。

64. 稻草鷄雛

立軸

紙本水墨設色

133.3×34cm

約 20 年代晚期

款題：

余日來所畫皆少时親手所為。親目所見之物。自笑大翻陳案。白石山翁并記。

印章：

阿芝(朱文)　老白(白文)

收藏：

北京畫院

著録：

《齊白石繪畫精品選》第 40 頁，董玉龍主編，人民美術出版社，1991 年，北京。

65. 稻草鷄雛

立軸

紙本水墨設色

103.4×33.2cm

約 20 年代晚期

款題：

借山吟館主者製。

印章：

木人(朱文)

收藏：

中國美術館

著録：

《齊白石繪畫精品選》第 20 頁，董玉龍主編，人民美術出版社，1991 年，北京。

66. 竹笋(雜畫册頁之一)

册頁
紙本水墨
27.5×17.5cm
約 20 年代晚期

款題：
三百石印富翁。

印章：
木居士(白文)

收藏：
天津藝術博物館

67. 魚草(雜畫册頁之二)
立軸
紙本水墨
27.5×17.5cm
約 20 年代晚期

款題：
杏子隝老民。

印章：
白石翁(白文)

收藏：
天津藝術博物館

68. 蠶桑(雜畫册頁之三)
册頁
紙本水墨
27.5×17.5cm
約 20 年代晚期

款題：
余年老賣畫。非所願也。龍山社弟王訓贈句云。老樹著花偏有態。春蠶食葉例抽絲。余始樂此不疲。白石借以補空并記其事。

印章：
阿芝(朱文)　木居士(白文)

收藏：
天津藝術博物館

69. 水仙
立軸
紙本水墨設色
94.7×35.8cm
約 20 年代晚期

款題：
白石山翁。

印章：
老木(朱文)

收藏：
中國美術館

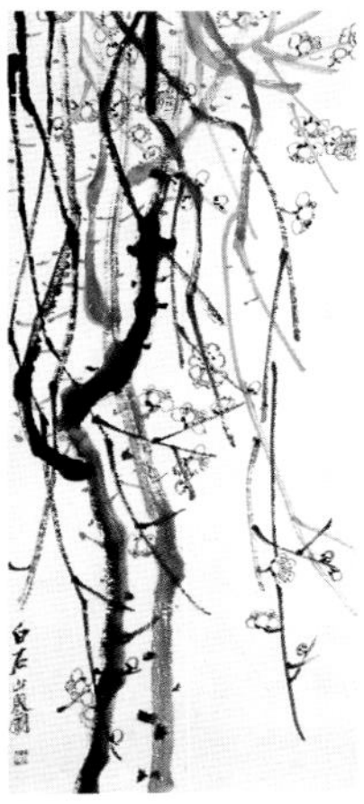

70. 墨梅
立軸
紙本水墨
82×35.8cm
約 20 年代晚期

款題：
白石山翁。

印章：
木居士(白文)
白石翁(白文)

收藏：
天津人民美術出版社

71. 螃蟹
鏡片
紙本水墨
26.5×33cm
約 20 年代晚期

款題：
老萍

印章：
齊大(朱文)

收藏：
陝西美術家協會

72. 紫藤蜜蜂
立軸
紙本水墨設色
138.5×35cm
約 20 年代晚期

款題：
西風昨夜到園亭。落葉前一尺深。且喜天風能反覆。又吹春色上衰藤。葉後落階字。寄萍堂上老人。

印章：
老木(朱文)

收藏：
私人

73. 虎踞圖
立軸
紙本水墨設色
68.2×33.8cm
約 20 年代晚期

款題：
三百石印富翁齊璜作。

印章：
齊大(朱文)

收藏：
北京故宮博物院

74. 墨牡丹
立軸
紙本水墨設色
128×43cm
約 20 年代晚期

款題：
著色畫四幅。獨此墨花能去却一絕艷姿。有超然拔俗之態。借山吟館主人并記。

印章：

白石翁(白文)

收藏：

中國美術館

著録：

《齊白石作品集》第 19 圖，董玉龍主編，天津人民美術出版，1990 年，天津。

75. 荔枝蜻蜓

立軸

紙本水墨設色

100×33cm

約 20 年代晚期

款題：

作客天涯亭子外。買園門鎖夏天開。千回上樹無人到。只有蜻蜓飛去來。白石并題句。

印章：

老白(白文)

收藏：

私人

著録：

《中國嘉德'94 春季拍賣會・中國書畫》第 119 號，1994 年，北京。

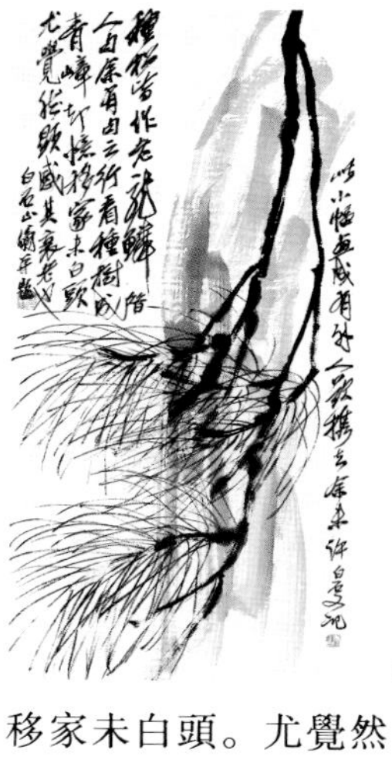

76. 松樹

立軸

紙本水墨

68×33.4cm

約 20 年代晚期

款題：

種松皆作老龍鱗。昔人句。余有句云。行看種樹成青嶂。却憶移家未白頭。尤覺然(然字點掉)顯感其衰老也。白石山翁并題。

此小幅畫成。有外人欲携去。余未許。白石又記。

印章：

白石翁(白文)

老白(白文)

收藏：

天津人民美術出版社

77. 墨梅

立軸

紙本水墨

137.2×34.3cm

約 20 年代晚期

款題：

白石

印章：

老白(白文)

收藏：

天津人民美術出版社

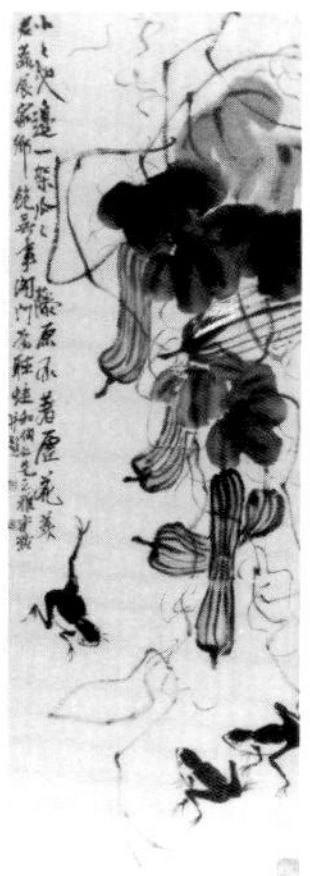

78. 絲瓜青蛙

立軸

紙本水墨設色

123×41cm

約 20 年代晚期

款題：

小小池邊一架瓜。瓜藤原不著虚花。羨君蔬食家鄉飽。無事開門為聽蛙。和恂仁兄之雅。齊璜并題。

印章：

老苹(朱文)　借山老人(白文)

收藏印：湖南省博物館藏品章(朱文)

收藏：

湖南省博物館

著録：

《齊白石繪畫選集》第 26 圖，湖南省博物館編，湖南美術出版社，1980 年，長沙。

79. 絲瓜蜜蜂

立軸

紙本水墨設色

92×44cm

約 20 年代晚期

款題：

黄花退束緑身長。白結絲色困曉霜。虚瘦得來成一捻。剛偎人面染脂香。借趙梅隱句。白石山翁。

印章：

白石翁(白文)

收藏：

北京榮寶齋

80. 山溪群蝦

立軸

紙本水墨設色

136×33.3cm

約 20 年代晚期

款題：

泥水風凉(凉)又立秋。黄沙曬日正堪愁。草蟲也解前頭闊。趁此山溪有細流。

居京華日久。今年熱苦殊逼。揮汗畫此紀之并題新句。白石。

印章：

木人(朱文)

收藏：

北京畫院

著録：

《齊白石繪畫精品選》第 44 頁，董玉龍主編，人民美術出版社，1991 年，北京。

81. 雙鴨

立軸

紙本水墨設色

75.5×33cm

約 20 年代晚期

款題：

白石山翁。

印章：

白石翁(白文)

收藏：

中國藝術研究院美術研究所

著録：

《齊白石繪畫精品選》第 21 頁，董玉龍主編，人民美術出版社，1991 年，北京。

82. 荷塘游鴨

立軸

紙本水墨

134.5×33cm

約 20 年代晚期

款題：

三百石印富翁。得家書平安。中心喜樂。揮毫畫此。與楊二觀。

印章：

白石翁(白文)

收藏：

私人

著録：

《齊白石畫集》第 42 圖，嚴欣强、金岩編，外文出版社，1990 年，北京。

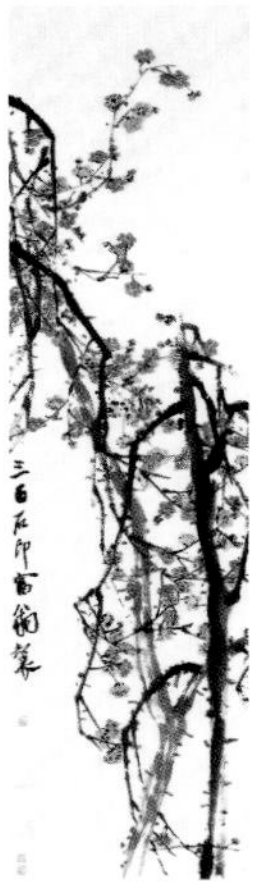

83. 紅梅

立軸

紙本水墨設色

166×46.5cm

約 20 年代晚期

款題：

三百石印富翁製。

印章：

老苹(白文)

收藏印：□□

收藏：

北京市文物公司

著録：

《齊白石繪畫精萃》第 45 圖，秦公、少楷主編，吉林美術出版社，1994 年，長春。

84. 螃蟹

立軸

紙本水墨

132.8×33.2cm

約 20 年代晚期

款題：

多足乘潮何處投。草泥鄉裏合鉤留。秋風行出殘蒲界。自信無腸一輩羞。前七八年間。友人嘗偕游(遊)保陽。畫蟹因題此句。白石。

印章：

齊大(朱文)

收藏：

北京故宫博物院

85. 佛手

立軸

紙本水墨設色

94.5×35cm

約 20 年代晚期

款題：

齊璜造于京華。

印章：

木居士(白文)

白石翁(白文)

收藏：

私人

著録：

《齊白石繪畫精品集》第 22 頁，人民美術出版社，1991 年，北京。

86. 魚樂圖

立軸

紙本水墨

88.5×32cm

約 20 年代晚期

款題：

臨水觀魚樂。魚來水作紋。蓮塘晴弄影。蒲浦雨無聲。白石山翁題近句。

印章：

老白(白文)　木人(朱文)

收藏：

天津楊柳青書畫社

87. 秋聲

立軸

紙本水墨設色

133×33cm

約 20 年代晚期

款題：

秋聲。

借山吟館主者製。

印章：

白石翁(白文)

收藏：

北京畫院

著録：

《齊白石作品集・第一集・繪畫》第 64 圖，人民美術出版社，1963 年，北京。

88. 蝴蝶蘭

立軸

紙本水墨設色

115×54cm

約 20年代晚期

款題：

齊璜。白石山翁製。

印章：

木居士(白文)

白石翁(白文)

收藏：

私人

著録：

《齊白石繪畫精品集》第 31 頁，人民美術出版社，1991 年，北京。

89. 公鷄

册頁

紙本水墨設色

60×46cm

約 20 年代晚期

款題：

白石山翁。

印章：

齊大(朱文)

收藏：

私人

著録：

《齊白石繪畫精品集》第 10 頁，人民美術出版社，1991 年，北京。

90. 紫藤

立軸

紙本水墨設色

137×34cm

約 20 年代晚期

款題：

一筆垂藤百尺長。濃陰合處日無光。與君掛在高堂上。好聽漫天紫雪香。白石。

印章：

木人(朱文)

木居士(朱文)

收藏印：湖南省博物館收藏(朱文)

收藏：

湖南省博物館

著録：

《齊白石繪畫選集》第 19 圖，湖南省博物館編，湖南美術出版社，1980 年，長沙。

91. 牡丹

立軸

紙本水墨設色

106×50cm

約 20 年代晚期

款題：

借山吟館主者造。

印章：

木居士(白文)

收藏印:仁和沈氏曾藏(朱文)
收藏:
夏衍原藏,現藏浙江省博物館。

92. 牡丹
立軸
紙本水墨設色
133×34cm
約 20 年代晚期
款題:
畫牡丹富厚為佳。若比菊花寒瘦。失其牡丹體態矣。不為工也。白石并記。
印章:
老齊郎(朱文)
收藏:
上海美術家協會

93. 三友圖
立軸
紙本水墨設色
178.5×94cm
約 20 年代晚期
款題:
三友圖(篆)。
齊璜。白石老民。
印章:
木居士(白文)　白石翁(白文)
收藏印:□
收藏:
朱咏葵原藏,現藏首都博物館。

94. 葡萄松鼠
立軸
紙本水墨設色
114.5×31cm
約 20 年代晚期
款題:
白石山翁製。
印章:
木人(朱文)

收藏:
中國美術館

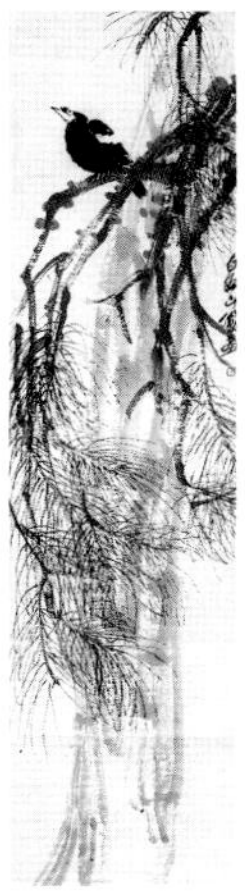

95. 松樹八哥
立軸
紙本水墨
164×46.5cm
約 20 年代晚期
款題:
白石山翁畫。
印章:
木人(朱文)
收藏:
陝西美術家協會

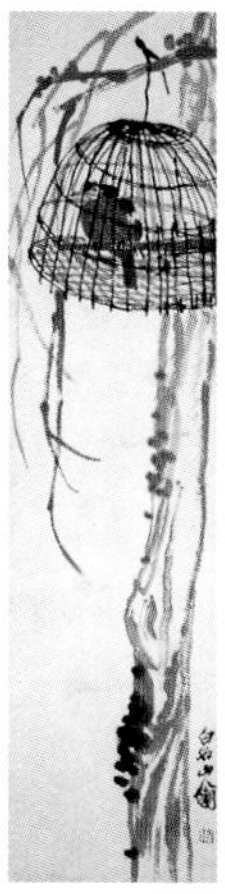

96. 籠中八哥
立軸
紙本水墨
135×32cm
約 20 年代晚期
款題:
白石山翁。
印章:
老木(朱文)
收藏:
中央美術學院附屬中學
著錄:
《齊白石繪畫精品選》第 18 頁,董玉龍主編,人民美術出版社,1991 年,北京。

97. 紅梅八哥
立軸
紙本水墨設色
100.5×33cm
約 20 年代晚期
款題:
却勝玄都觀裏花。白石舊句也。白石題。
印章:
木人(朱文)
收藏:
陝西美術家協會

98. 照水芙蓉
立軸
紙本水墨設色
178×37cm
約 20 年代晚期
款題:
齊璜。借山吟館主者。
印章:
白石翁(白文)
收藏:
王方宇
著錄:
《看齊白石畫》第 27 圖,王方宇、許芥昱合著,藝術圖書公司,1979 年,臺北。

99. 紫藤
立軸
紙本水墨設色
250×62.5cm
約 20 年代晚期
款題:
西風昨夜到園亭。落葉階前一尺深。且喜天風能反覆。又吹春色上衰藤。借山吟館主者製。并題舊句。
印章:
木居士(白文)　白石翁(白文)
三百石印富翁(朱文)
收藏:
楊永德
著錄:
《齊白石作品集·第一集·繪畫》第 80 圖,人民美術出版社,1963 年,北京。
《齊白石畫法與欣賞》附第 57 圖,胡佩衡、胡橐著,人民美術出版社,1959 年,北京。
注釋:
此圖胡佩衡標 72 歲(1934)作,《齊白石作品集》標 75 歲(1937)左右。均誤。理由是:第一,此畫上題詩的書法明顯屬白石 20 年代晚期風格;第二,題畫詩乃《白石詩草第二集》中的作品該集所收均是 1932 年前的詩作(1933 年出版);第三,藤蘿的畫法、筆墨尚不如所見的 30 年代中期作品成熟。

100. 達摩
立軸

紙本水墨設色
136.5×33.5cm
約 20 年代晚期

款題：
齊璜

印章：
木居士(白文)

收藏：
中國藝術研究院美術研究所

101. 藤蘿

立軸
紙本水墨設色
136.5×34.2cm
1930 年

款題：
潤生先生清屬。庚午六月之初製于舊京。齊璜。

印章：
白石翁(白文)

收藏：
天津人民美術出版社

102. 松鷹圖

立軸
紙本水墨
137×35cm
1930 年

款題：
石倩仁弟清屬。庚午冬十月之初。小兄齊璜寄贈。

印章：
木居士(白文)

收藏：
中央美術學院

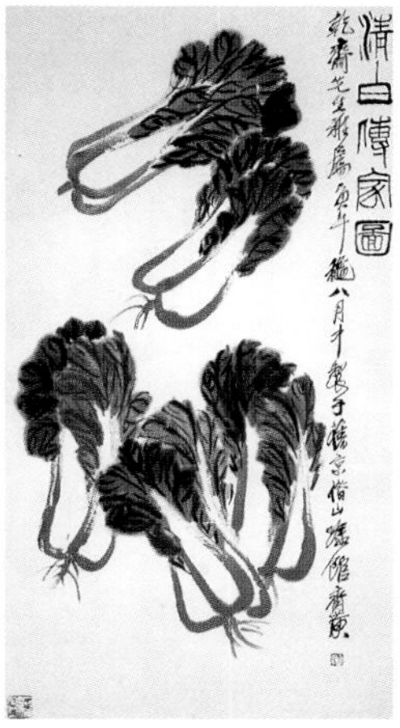

103. 清白傳家圖

立軸
紙本水墨
91×53cm
1930 年

款題：
清白傳家圖。
乾齋先生雅屬。庚午秋八月中。製于舊京借山唫(吟)館。齊璜。

印章：
白石翁(白文)
一切畫會無能加入(白文)

收藏：
中央美術學院附屬中學

104. 藤蘿

立軸
紙本水墨設色
141×33cm
1930 年

款題：
庚午冬日無寒。于寄萍堂上。齊璜製。

印章：
齊大(朱文)
夢想芙蓉路八千(朱文)

收藏：
私人

105. 芙蓉小魚

立軸
紙本水墨設色
64×30cm
1930 年

款題：
丹西公子佳期誌(志)喜。庚午冬。齊璜。

印章：
白石翁(白文)

收藏：
中國美術館

著録：
《齊白石作品集》第 32 圖，董玉龍主編，天津人民美術出版社，1990 年，天津。

106. 松樹

立軸
紙本水墨
131×33cm
1930 年

款題：
松軒先生雅正。庚午冬。齊璜。

印章：
老木(朱文)

收藏：
中央工藝美術學院

107. 雜畫册(册頁之一)

册頁
紙本水墨設色
32×25cm
1930 年

款題：
虚塵仁弟雅屬。齊璜。

印章：
老白(白文)

收藏：
北京市文物公司

著録：
《翰海'95 春季拍賣會・中國繪畫(近現代)》第 189 號，1995 年，北京。

108. 雜畫册(册頁之二)

册頁
紙本水墨設色

32×25cm
1930年

款題：
杏子隖老民作。

印章：
老白(白文)

收藏：
北京市文物公司

著録：
《翰海'95春季拍賣會·中國繪畫(近現代)》第189號，1995年，北京。

109. 雜畫册(册頁之三)
册頁
紙本水墨設色
32×25cm
1930年

款題：
萍翁

印章：
老白(白文)

收藏：
北京市文物公司

著録：
《翰海'95春季拍賣會·中國繪畫(近現代)》第189號，1995年，北京。

110. 雜畫册(册頁之四)
册頁
紙本水墨設色
32×25cm
1930年

款題：
八硯樓頭舊主人。

印章：
木居士(白文)

收藏：
北京市文物公司

著録：
《翰海'95春季拍賣會·中國繪畫(近現代)》第189號，1995年，北京。

111. 雜畫册(册頁之五)
册頁
紙本水墨設色
32×25cm
1930年

款題：
借山唫（吟）館主者造終南進士像。

印章：
老木(朱文)

收藏：
北京市文物公司

著録：
《齊白石繪畫精萃》第58圖，秦公、少楷主編，吉林美術出版社，1994年，長春。
《翰海'95春季拍賣會·中國繪畫(近現代)》第189號，1995年，北京。

112. 雜畫册(册頁之六)
册頁
紙本水墨設色
32×25cm
1930年

款題：
芍藥猶開總是春。白石。

印章：
齊大(朱文)

收藏：
北京市文物公司

著録：
《翰海'95春季拍賣會·中國繪畫(近現代)》第189號，1995年，北京。

113. 雜畫册(册頁之七)
册頁
紙本水墨設色
32×25cm
1930年

款題：
老萍

印章：
老木(朱文)

收藏：
北京市文物公司

著録：
《翰海'95春季拍賣會·中國繪畫(近現代)》第189號，1995年，北京。

114. 雜畫册(册頁之八)
册頁
紙本水墨設色
32×25cm
1930 年
款題：
白石
印章：
阿芝(朱文)
收藏：
北京市文物公司
著録：
《齊白石繪畫精萃》第 57 圖，秦公、少楷主編，吉林美術出版社，1994年，長春。
《翰海'95 春季拍賣會・中國繪畫(近現代)》第 189 號，1995 年，北京。

115. 雜畫册(册頁之九)
册頁
紙本水墨設色
32×25cm
1930 年
款題：
曹大家讀書像。齊璜造本。
印章：
白石翁(白文)
收藏：
北京市文物公司
著録：
《齊白石繪畫精萃》第 56 圖，秦公、少楷主編，吉林美術出版社，1994年，長春。
《翰海'95 春季拍賣會・中國繪畫(近現代)》第 189 號，1995 年，北京。

116. 雜畫册(册頁之十)
册頁
紙本水墨設色
32×25cm
1930 年

款題：
阿芝
印章：
老齊(朱文)
收藏：
北京市文物公司
著録：
《翰海'95 春季拍賣會・中國繪畫(近現代)》第 189 號，1995 年，北京。

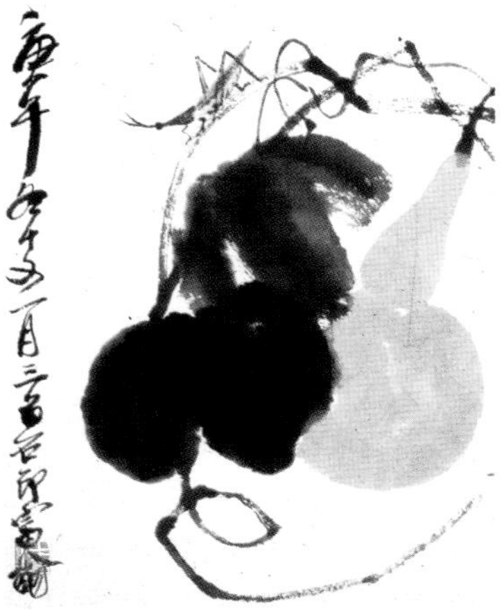

117. 雜畫册(册頁之十一)
册頁
紙本水墨設色
32×25cm
1930 年
款題：
庚午冬十又一月。三百石印富翁。
印章：
木居士(白文)
收藏：
北京市文物公司
著録：
《翰海'95 春季拍賣會・中國繪畫(近現代)》第 189 號，1995 年，北京。

118. 綬帶枇杷
立軸
紙本水墨設色
133×34cm

1930 年
款題：
棣生先生雅正。庚午。齊璜。
三百石印富翁作于古燕京西城又西。
印章：
木居士(白文)
齊大(朱文)
收藏：
北京市文物公司
著録：
《齊白石繪畫精萃》第 29 圖，秦公、少楷主編，吉林美術出版社，1994 年，長春。

119. 墨梅圖
立軸
紙本水墨
136.8×34cm
1930 年
款題：
寄萍堂上老人。居燕京第十四年畫。
印章：
白石翁(白文)
收藏：
中國美術館

120. 壽桃
立軸
紙本水墨設色
92×58cm
1930 年
款題：
長壽(篆)。
余為啟明夫人畫桃。識五先生見之請再作。庚午。齊璜。
印章：
白石(朱文)　齊大(朱文)

人長壽(朱文)

收藏:

私人

121. 穀穗老鼠

立軸

紙本水墨設色

107×34.3cm

約 1930 年

款題:

白石山翁。

印章:

齊大(朱文)

收藏:

楊永德

著録:

《楊永德藏齊白石書畫》, 中國嘉德'95 秋季拍賣會圖録第 307 號, 1995 年, 北京。

122. 山間松屋

立軸

紙本水墨設色

141×41cm

1930 年

款題:

識五先生清屬。庚午冬。齊璜。

印章:

白石翁(白文)

收藏:

唐雲原藏, 現藏炎黄藝術館藝術中心。

123. 潑墨山水

立軸

紙本水墨

87×46cm

約 1930 年

款題:

齊璜

印章:

齊璜生(白文)

收藏:

北京畫院

著録:

《齊白石繪畫精品選》第 193 頁, 董玉龍主編, 人民美術出版社, 1991 年, 北京。

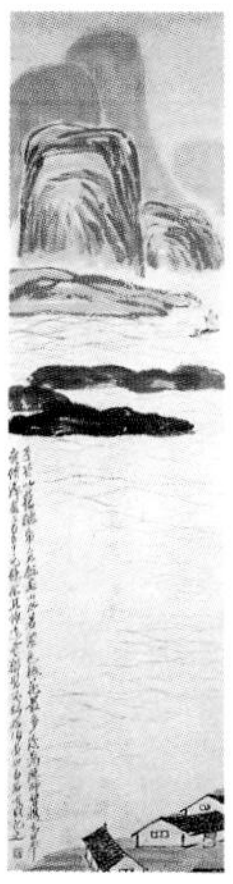

124. 湖岸遠帆圖

立軸

紙本水墨設色

138×34cm

約 1930 年

款題:

予曾以舊破帋(紙)二尺餘畫山水。著紫色桃花最多。後為陳師曾携去日本。賣價得金二百五十元。使余且愧。迄今猶覺不能捨此畫也。白石有感。記之。

印章:

齊大(白文)

收藏:

香港佳士得拍賣行

125. 山水

横幅

紙本水墨設色

23.6×137cm

1930 年

款題:

佩公先生正。庚午。齊璜。

印章:

齊大(朱文)

收藏:

天津人民美術出版社

126. 煉丹圖

立軸

紙本水墨設色

86×49.5cm

約 1930 年

款題:

丁丑鐙(燈)節後。三弟來故都。將返白石家山。檢(撿)前七年所作。倩帶贈佛遜賢姪(侄)孫。白石璜。

印章:

白石(朱文)

收藏印:□□

收藏:

楊永德

著録:

《齊白石繪畫精品集》第 53 頁, 人民美術出版社, 1991 年, 北京。原題《炊》, 圖、題跋及書法完全一樣, 但紙下端左右角無收藏印, 似是被裁掉了(恰好比此幅短些)。

《楊永德藏齊白石書畫》, 中國嘉德'95 秋季拍賣會圖録第 208 號, 1995 年, 北京。

127. 鐘馗搔背圖

立軸

紙本水墨設色

67.4×34.4cm

1930 年

款題:

伯安先生清正。庚午。齊璜。

印章:

木居士(白文)

收藏印:伯安珍藏書画(白文)

收藏:

楊永德

著録：

《楊永德藏齊白石書畫》，中國嘉德’95 秋季拍賣會圖録第 252 號，1995 年，北京。

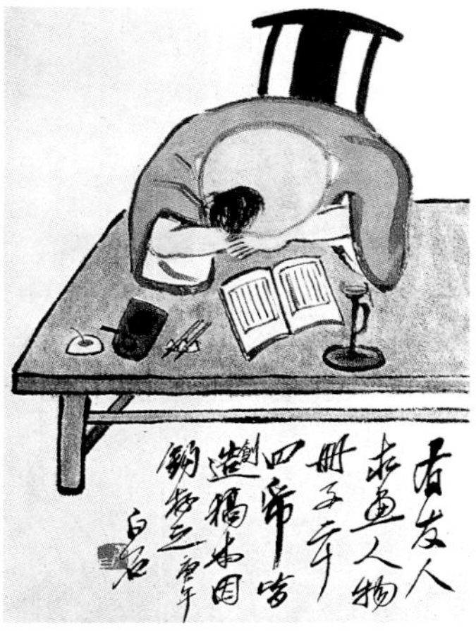

128. 夜讀圖

册頁

紙本水墨設色

48×33cm

1930 年

款題：

有友人求畫人物册子二十四帋(紙)。皆創造稿本。因鈎存之。庚午。白石。

印章：

老白(白文)

收藏：

王方宇

著録：

《看齊白石畫》第 7 圖，王方宇、許芥昱合著，藝術圖書公司，1979 年，臺北。

129. 送子從師圖

册頁

紙本水墨設色

35.5×25.4cm

約 1930 年

款題：

送子從師圖。

余為友人畫人物册二十四帋(紙)。其中有四帋(紙)背臨他人本。餘皆自造本也。故存之。白石記。

印章：

木人(朱文)

收藏：

王方宇

著録：

《看齊白石畫》第 6 圖，王方宇、許芥昱合著，藝術圖書公司，1979 年，臺北。

130. 老當益壯

册頁

紙本水墨設色

35.5×25.4cm

約 1930 年

款題：

老當益壯。

白石。

印章：

萍翁(白文)

收藏：

王方宇

著録：

《看齊白石畫》第 8 圖，王方宇、許芥昱合著，藝術圖書公司，1979 年，臺北。

131. 人罵我我也罵人

册頁

紙本水墨設色

35.5×25.4cm

約 1930 年

款題：

人罵我我也罵人。

白石。

印章：

木人(朱文)

收藏：

王方宇

著録：

《看齊白石畫》第 9 圖，王方宇、許芥昱合著，藝術圖書公司，1979 年，臺北。

132. 送學圖(人物册頁之一)

册頁

紙本水墨設色

33×27cm

約 1930 年

款題：

送学圖。

處處有孩兒。朝朝正要時。此翁真不是。獨送汝從師。識字未為非。娘邊去復歸。莫教兩行淚(泪)。滴破汝紅衣。白石并題舊句。

印章：

芝(朱文)

收藏：

北京榮寶齋

133. 送學圖(人物册頁之二)

冊頁
紙本水墨設色
33×27cm
約 1930 年

款題：

當真苦事要兒為。日日提籬阿母催。學得人間夫婿步。出如繭足反如飛。送学第二圖第二首。白石山翁。

印章：

白石翁(白文)

收藏：

北京榮寶齋

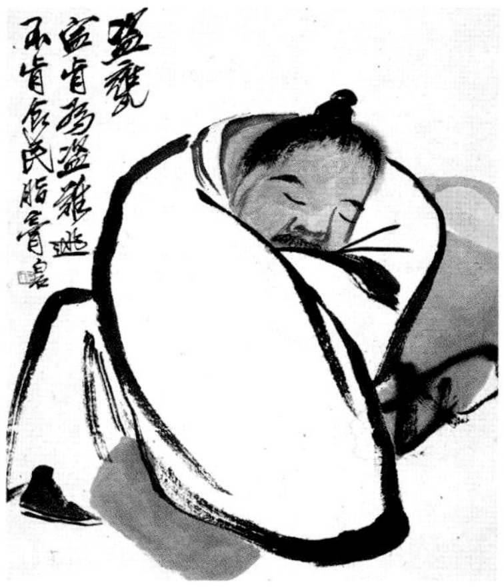

134. 盗甕(人物冊頁之三)

冊頁
紙本水墨設色
33×27cm
約 1930 年

款題：

盗甕。

寧肯為盗難逃。不肯食民脂膏。白石。

印章：

木人(朱文)

收藏：

北京榮寶齋

135. 終南山進士像(人物冊頁之四)

冊頁
紙本水墨設色
33×27cm
約 1930 年

款題：

終南山進士像。齊璜暮年造。

印章：

白石造稾(稿)(白文)

收藏：

北京榮寶齋

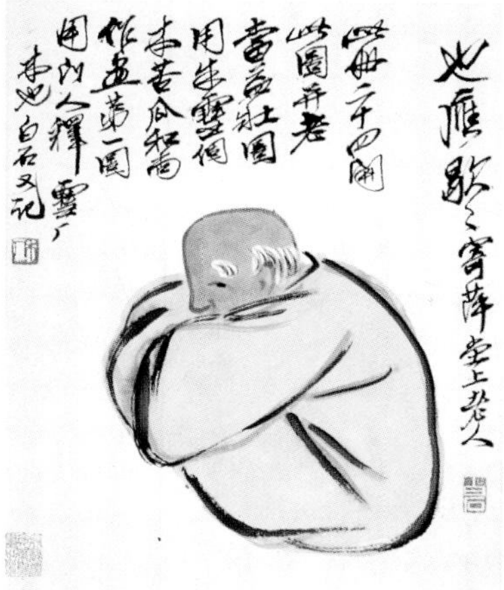

136. 也應歇歇(人物冊頁之五)

冊頁
紙本水墨設色
33×27cm
約 1930 年

款題：

也應歇歇。寄萍堂上老人。

此冊二十四開。此圖并老當益壯圖用朱雪個(个)本。苦瓜和尚作畫第一圖用門人釋雪厂(庵)本也。白石又記。

印章：

白石(白文)　木人(朱文)

收藏印：静觀樓珍藏書畫之章(朱文)

收藏：

北京榮寶齋

137. 還山讀書圖(人物冊頁之六)

冊頁
紙本水墨設色
33×27cm
約 1930 年

款題：

還山讀書圖。

寅齋仁弟委畫人物冊子廿又四開。除仿人三藁(稿)外。皆自造本。請論定。兄璜。

印章：

木人(朱文)

收藏：

北京榮寶齋

138. 梨花（花果四條屏之一）

立軸
紙本水墨設色
133×22cm
1930 年

款題：

八硯樓頭久別人製。

印章：

白石(朱文)
齊大(朱文)
雕蟲小技家聲(朱文)

收藏：

私人

139. 玉蘭（花果四條屏之二）

立軸
紙本水墨
133×22cm
1930 年

款題：

璜也

印章：

白石翁(朱文)
甑屋(朱文)
雕蟲小技家聲(朱文)

收藏：

私人

140. 菊花（花果四條屏之三）

立軸
紙本水墨設色
133×22cm
1930 年

款題：

菊酒延年(篆)。

白石并篆。

印章：

老齊郎(朱文)
齊大(朱文)
人長壽(朱文)

收藏：

私人

141. 荔枝（花果四條屏之四）

立軸

紙本水墨設色

133×22cm

1930 年

款題：

仲森先生之屬。庚午。白石。

印章：

老齊郎(朱文)

白石(朱文)　老白(白文)

收藏：

私人

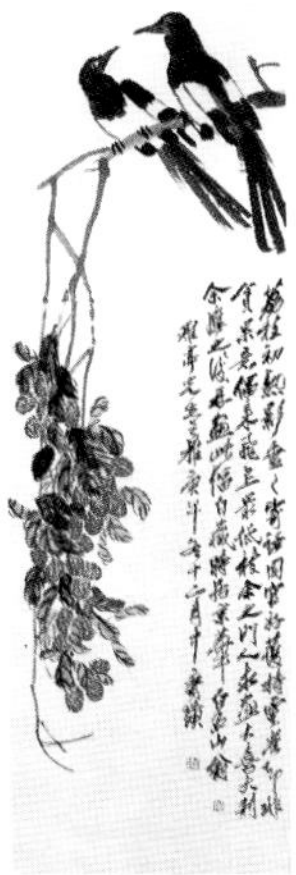

142. 大喜大利圖

立軸

紙本水墨設色

249×70cm

1931 年

款題：

荔枝初熟影垂垂。
寄語園官好護持。
靈雀却非貪果意。
偶來飛上最低枝。

余之門人求畫大喜大利。余應之。之後再畫此幅自藏。時居京華。白石山翁。

雅亭先生之雅。庚午冬十二月中。齊璜。

印章：

白石翁(白文)　老木(朱文)

收藏：

北京故宫博物院

143. 梅影詩意圖

立軸

紙本水墨設色

101.5×34cm

1931 年

款題：

五換嵗(嚴)更三唱鷄。
曉樓天澹(淡)月平西。
風簾不捲欄杆角。
瞥見傷春背面啼。

昔人梅影詩。齊璜借題。

借題。

庚午冬十又二月。兒輩還鄉。寄奉石安五弟清玩。小兄璜意也。

印章：

老白(白文)　老木(朱文)

收藏：

天津人民美術出版社

144. 紫藤雙蜂

鏡片

紙本水墨設色

32.3×33.5cm

1931 年

款題：

少年不識重歸期。愁絶於今變亂時。老屋後山夢飛去。紫藤花下路高低。辛未春。虚谷先生正。齊璜并題。

印章：

老白(白文)

收藏：

北京市文物公司

著録：

《齊白石繪畫精萃》第 19 圖，秦公、少楷主編，吉林美術出版社，1990 年，長春。

145. 牽牛花

立軸

紙本水墨設色

117×28cm

1931 年

款題：

啟明夫人屬畫。辛未夏。白石山翁齊璜。

印章：

齊大(朱文)

收藏：

北京榮寶齋

146. 雛鷹圖

立軸

紙本水墨設色

67×28cm

1931 年

款題：

辛未秋。王生送此小鷹。余為寫照。白石記。

印章：

齊大(朱文)

收藏：

北京市文物公司

著録：

《齊白石繪畫精萃》第 34 圖，秦公、少楷主編，吉林美術出版社，1994 年，長春。

147. 朝陽(山水册頁之一)

册頁

紙本水墨設色

34.5×35cm

1931 年

款題：

朝陽。

寅齋仁弟清屬。辛未秋八月始畫此册廿又四開。以應前三年之雅意也。友兄齊璜并記。

印章：

木人(朱文)

收藏印：辛家曾藏(朱文)

收藏：

私人

著録：

《中國嘉德'94 秋季拍賣會・中國書畫》第 232 號，1994 年，北京。

148. 蒼海烟帆(山水册頁之二)

册頁

紙本水墨設色
34.5×35cm
1931年
款題：
蒼海煙(烟)帆。
白石。
印章：
老白(白文)
吾画遍行天下蒙人偽造居多(朱文)
收藏印：辛家曾藏(朱文)
收藏：
私人
著録：
《中國嘉德’94秋季拍賣會・中國書畫》第232號，1994年，北京。

149. 鸕鷀(山水册頁之三)
册頁
紙本水墨
34.5×35cm
1931年
款題：
瀕生
印章：
齊璜之印(白文)
收藏印：辛家曾藏(朱文)
收藏：
私人
著録：
《齊白石作品集・第一集・繪畫》第110圖，人民美術出版社，1963年，北京。
《中國嘉德’94秋季拍賣會・中國書畫》第232號，1994年，北京。

150. 荷塘(山水册頁之四)
册頁
紙本水墨設色
34.5×35cm
1931年
款題：
白石
印章：

老苹(朱文)
收藏印：辛家曾藏(朱文)
收藏：
私人
著録：
《齊白石作品集・第一集・繪畫》第59圖，人民美術出版社，1963年，北京。
《中國嘉德’94秋季拍賣會・中國書畫》第232號，1994年，北京。

151. 荒山殘雪(山水册頁之五)
册頁
紙本水墨設色
34.5×35cm
1931年
款題：
荒山殘雪。
白石。
印章：
木居士(白文)　大勝昔(白文)
甑屋(朱文)
收藏印：辛家曾藏(朱文)
辛氏(朱文)　□
著録：
《中國嘉德’94拍賣會・中國書畫》第232號，1994年，北京。

152. 雨後(山水册頁之六)
册頁
紙本水墨設色
34.5×35cm

1931年
款題：
雨後。
老萍。
印章：
阿芝(白文)
辛家曾藏(朱文)
收藏：
私人
著録：
《中國嘉德’94拍賣會・中國書畫》第232號，1994年，北京。

153. 松林(山水册頁之七)
册頁
紙本水墨設色
34.5×35cm
1931年
款題：
萍翁
印章：
白石翁(白文)　大勝昔(白文)
收藏印：辛家曾藏(朱文)
收藏：
私人
著録：
《中國嘉德’94拍賣會・中國書畫》第232號，1994年，北京。

154. 陽羡垂釣(山水册頁之八)
册頁
紙本水墨設色

34.5×35cm
1931 年
款題：
桂林時候不相侔。自打衣包備小游(遊)。一日扁舟過陽羡。南風輕葛北風裘。此陽羡山水也。白石并題昔句。
印章：
老苹(朱文)
收藏印:辛家曾藏(朱文)
收藏：
私人
著録：
《中國嘉德’94 拍賣會・中國書畫》第 232 號,1994 年,北京。

155. 枯樹寒鴉(山水册頁之九)
册頁
紙本水墨設色
34.5×35cm
1931 年
款題：
齊璜
印章：
白石(白文)
收藏印:辛家曾藏(朱文)
收藏：
私人
著録：
《中國嘉德’94 拍賣會・中國書畫》第 232 號,1994 年,北京。

156. 放牛圖(山水册頁之十)

册頁
紙本水墨設色
34.5×35cm
1931 年
款題：
放牛圖。
八硯樓主人。
印章：
老齊(朱文)
收藏印:辛家曾藏(朱文)
收藏：
私人
著録：
《中國嘉德’94 拍賣會・中國書畫》第 232 號,1994 年,北京。

157. 月明人静時候(山水册頁之十一)
册頁
紙本水墨設色
34.5×35cm
1931 年
款題：
月明人静時候。
白石。
印章：
木人(朱文)
一切畫會無能加入(白文)
收藏印:辛家曾藏(朱文)
收藏：
私人
著録：
《中國嘉德’94 拍賣會・中國書畫》第 232 號,1994 年,北京。

158. 柳浦秋晴(山水册頁之十二)
册頁
紙本水墨設色
34.5×35cm
1931 年
款題：
柳浦秋姓(晴)。
三百石印富翁。前癸卯与夏天畸由西安游(遊)京華。道出黄河過柳園口見此景。忽忽廿又九年。猶存胸中。辛未白石又記。
吾畫山水時流誹之。故余幾絶筆。今有寅齋弟彊(强)余畫此。寅齋曰。此册遠勝□□於石濤畫册堆中一流也。即乞余記之。白石。
印章：
白石造槀(稿)(白文)　木人(朱文)
老苹(朱文)
收藏印:辛家曾藏(朱文)
收藏：
私人
著録：
《中國嘉德’94 拍賣會・中國書畫》第 232 號,1994 年,北京。

159. 風順波清
立軸
紙本水墨
136.2×39.7cm
1931 年
款題：
風順波清(篆)。
寄萍堂上老人齊璜。四百廿甲子時畫于燕。
印章：
白石翁(白文)
一切画會無能加入(白文)
收藏：
北京故宫博物院

160. 乘風破浪
立軸
紙本水墨

136.5×39.5cm
1931年
款題：
風流濁世舊巧匠。十日一畫萬里浪。君欲卧游(遊)借順風。為君挂向高堂上。三百石印富翁齊璜。四百二十甲子时製于舊京。
印章：
木居士(白文)
收藏：
私人
著録：
《齊白石畫集》第9圖,嚴欣强、金岩編,外文出版社,1990年,北京。

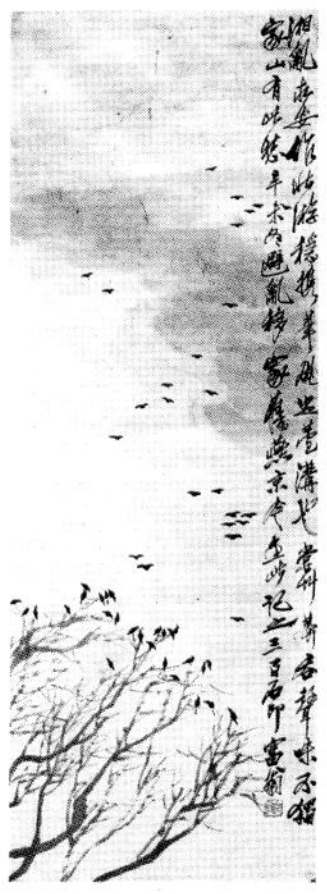

161. 日暮歸鴉
立軸
紙本水墨設色
101×35cm
1931年
款題：
湘亂求安作北游(遊)。
穩携筆硯過蘆溝。
也嘗草莽吞聲味。
不獨家山有此愁。
辛未冬。避亂移家舊燕京。今畫此記之。三百石印富翁。
印章：
白石翁(朱文)
收藏：
炎黄藝術館藝術中心

162. 借山吟館圖
(山水條屏之一)
立軸
紙本水墨設色
128×62cm
1932年
款題：
借山吟館圖(篆)。
門前梟鴨与人閒(闲)。舊句也。只此一句。足見借山之清寂。白石。
印章：
木人(朱文)
收藏印：治園讀畫(朱文)
遺三觀(朱文)
收藏：
重慶市博物館

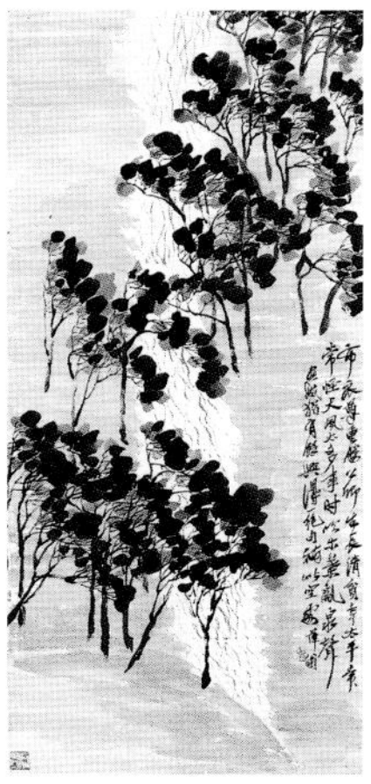

163. 木葉泉聲
(山水條屏之二)
立軸
紙本水墨設色
128×62cm
1932年
款題：
布衣尊重勝公卿。生長清貧幸太平。常怪天風太多事。时吹木葉亂泉聲。畫成猶有餘興。得一絶句補此空處。萍翁。
印章：
阿芝(白文)　志趣(白文)
一切画會無能加入(白文)
收藏：
重慶市博物館

164. 紅日白帆
(山水條屏之三)
立軸
紙本水墨設色
128×62cm
1932年
款題：
齊白石畫于燕。
印章：
老齊郎(朱文)
收藏印：治園(朱文)
收藏：
重慶市博物館

165. 清風萬里
(山水條屏之四)
立軸
紙本水墨設色
128×62cm
1932年
款題：
清風萬里(篆)。
畫吾自畫。老萍。
印章：
齊白石(白文)
吾画遍行天下蒙人偽造居多(朱文)
收藏印：王纘緒(白文)
遺三氏(白文)
收藏：
重慶市博物館

166. 緑天野屋
(山水條屏之五)
立軸
紙本水墨設色
128×62cm
1932年
款題：
緑天野屋(篆)。
吾嘗游(遊)安南。由欽州之東興。過鐵橋。有萬蕉中見野屋。風景絶佳。已收入借山圖矣。白石山翁。
印章：
木居士(白文)
老夫也在皮毛類(白文)
收藏印：王纘緒印(朱文)
□
收藏：
重慶市博物館

167. 荷亭清暑
(山水條屏之六)
立軸
紙本水墨設色
128×62cm
1932年
款題：
荷亭清暑(篆)。
杏子隖老民。
印章：
齊大(朱文)
曾在西充王治園處(白文)
收藏：
重慶市博物館

168. 雨後雲山
(山水條屏之七)
立軸
紙本水墨
128×62cm
1932年
款題：
雨後雲山(篆)。
寄萍堂上老人造并篆此四字。
印章：
白石翁(白文)
收藏印：治園心賞(白文)
收藏：
重慶市博物館

169. 飛鳥暮還(山水條屏之八)

立軸

紙本水墨設色

128×62cm

1932 年

款題:

為政清閒(閑)物自閑。朝看飛鳥暮飛還。借唐人絶句詩前二句題畫。白石山翁。

印章:

白石翁(白文)

收藏印:遺三觀(朱文)

治園鑒藏(白文)

收藏:

重慶市博物館

170. 岱廟圖(山水條屏之九)

立軸

紙本水墨設色

128×62cm

1932 年

款題:

岱廟圖(篆)。

曾見石田翁有此圖。借山吟館主者。

印章:

白石山翁(白文)　治易(白文)

苦思無事十年活(白文)

收藏:

重慶市博物館

171. 一白高天下(山水條屏之十)

立軸

紙本水墨設色

128×62cm

1932 年

款題:

一白高天下(篆)。

三百石印富翁製。

印章:

老木(朱文)　痴齊(朱文)

收藏印:□

收藏:

重慶市博物館

172. 夢中蜀景(山水條屏之十一)

立軸

紙本水墨

128×62cm

1932 年

款題:

毋忘尺素倦紅鱗。一諾應酬知己恩。昨夜夢中偏識道。布衣長揖見將軍。夢游(遊)渝城詩。將軍謂治園君。治園將軍一笑。白石草衣齊璜。

印章:

萍翁持贈(白文)

老去尤因啞且聾(朱文)

收藏印:治園主人(朱文)

收藏:

重慶市博物館

173. 月圓石壽(山水條屏之十二)

立軸

紙本水墨

128×62cm

1932 年

款題:

月長圓石長壽樹木長青(篆)。治園運使論定。壬申七月。齊璜贈。

印章:

老白(白文)

三百石印富翁(朱文)

收藏印:王阿三(白文)

收藏:

重慶市博物館

注釋:

此册是齊白石盛期山水畫的杰出代表。原是為四川王纘緒作的。1950年,王纘緒捐贈重慶市博物館。王纘緒(1887年—1950年),四川西充人,字治園。早年入四川陸軍速成學堂,1926年任國民革命軍第二十一軍第四師師長,1935年任第四十四軍軍長,1938年任第二十九集團軍總司令、四川省政府主席,1944年後任重慶衛戍總司令等職。1949年12月率部向中國人民解放軍投誠。王纘緒喜書畫,因向齊白石購印與畫而成“萬里神交”。1933年,白石應王纘緒之邀欲遊蜀,因故未成行。白石作《夢遊重慶》詩,序曰:“王君治園與余不相識,以書招遊重慶,余諾之。忽因時變,未往,遂為萬里神交。强自食言前約,夢裏猶見荆州”。王治園從四川送一婢女名淑華至京,為白石磨墨理紙。一年後,白石放淑華嫁人,并作《許放淑華并序》詩。見1933年刊印本《白石詩草》第八卷。1936年,再應王纘緒約,白石遊蜀。

174. 竹溪群鴨(山水册頁之一)

册頁

紙本水墨設色

32.5×35.5cm

約 1932 年

款題:

白石

印章:

木居士(白文)

收藏:

楊永德

著録:

《榮寶齋畫譜》第73期,北京榮寶齋出版,1993年,北京。

《榮寶齋(香港)有限公司開業一周年紀念畫集》

《楊永德藏齊白石書畫》,中國嘉德’95秋季拍賣會圖録第275號,1995年,北京。

175. 垂柳帆影(山水册頁之二)

册頁

紙本水墨設色

32.5×35.5cm
約 1932 年
款題:
白石作。
印章:
老白(白文)
收藏:
楊永德
著録:
《榮寶齋畫譜》第 73 期,北京榮寶齋出版,1993 年,北京。
《榮寶齋(香港)有限公司開業一周年紀念畫集》
《楊永德藏齊白石書畫》,中國嘉德'95 秋季拍賣會圖録第 275 號,1995 年,北京。

176. 酒醉網乾(山水册頁之三)
册頁
紙本水墨設色
32.5×35.5cm
約 1932 年
款題:
酒醉網乾。洗足上床。休管他門外有斜陽。白石并題句。
印章:
木人(朱文)
收藏:
楊永德
著録:
《榮寶齋畫譜》第 73 期,北京榮寶齋出版,1993 年,北京。
《榮寶齋(香港)有限公司開業一周年紀念畫集》
《楊永德藏齊白石書畫》,中國嘉德'95 秋季拍賣會圖録第 275 號,1995 年,北京。

177. 遠山溪樹(山水册頁之四)
册頁
紙本水墨設色
32.5×35.5cm
約 1932 年

款題:
白石
印章:
老木(朱文)
收藏:
楊永德
著録:
《榮寶齋畫譜》第 73 期,北京榮寶齋出版,1993 年,北京。
《榮寶齋(香港)有限公司開業一周年紀念畫集》
《楊永德藏齊白石書畫》,中國嘉德'95 秋季拍賣會圖録第 275 號,1995 年,北京。

178. 牧童紙鳶(山水册頁之五)
册頁
紙本水墨設色
32.5×35.5cm
約 1932 年
款題:
牧童歸去帋(紙)鳶低。
寄萍堂老人思回鄉句也。
印章:
阿芝(朱文)
收藏:
楊永德
著録:
《榮寶齋畫譜》第 73 期,北京榮寶齋出版,1993 年,北京。
《榮寶齋(香港)有限公司開業一周年紀念畫集》
《楊永德藏齊白石書畫》,中國嘉德'95 秋季拍賣會圖録第 275 號,1995 年,北京。

179. 一犁春雨(山水册頁之六)
册頁
紙本水墨設色
32.5×35.5cm
約 1932 年
款題:
一犁春雨。
白石。
印章:
木居士(白文)
老夫也在皮毛類(白文)
收藏:
楊永德
著録:
《榮寶齋畫譜》第 73 期,北京榮寶齋出版,1993 年,北京。
《榮寶齋(香港)有限公司開業一周年紀念畫集》
《楊永德藏齊白石書畫》,中國嘉德'95 秋季拍賣會圖録第 275 號,1995 年,北京。

180. 蕉葉樓居(山水册頁之七)
册頁
紙本水墨設色
32.5×35.5cm
約 1932 年
款題:
吾畫蕉屋。七十歲喜樓居。故畫蕉樓。白石山翁。

印章：

莘翁（白文）　芝（朱文）

樂石室（朱文）

收藏：

楊永德

著録：

《榮寶齋畫譜》第 73 期，北京榮寶齋出版，1993 年，北京。

《榮寶齋（香港）有限公司開業一周年紀念畫集》

《楊永德藏齊白石書畫》，中國嘉德'95 秋季拍賣會圖録第 275 號，1995 年，北京。

181. 兩岩含月（山水册頁之八）

册頁

紙本水墨設色

32.5×35.5cm

約 1932 年

款題：

兩岩含月欲吞珠。借山吟館主者。

印章：

老苹（朱文）　老齊（朱文）

收藏：

楊永德

著録：

《榮寶齋畫譜》第 73 期，北京榮寶齋出版，1993 年，北京。

《榮寶齋（香港）有限公司開業一周年紀念畫集》

《楊永德藏齊白石書畫》，中國嘉德'95 秋季拍賣會圖録第 275 號，1995 年，北京。

182. 菩提坐佛

立軸

紙本水墨設色

72.5×48cm

1932 年

款題：

壬申春。齊璜恭畫。

印章：

老白（白文）

收藏印：仁和沈氏曾藏（朱文）

收藏：

夏衍原藏，現藏浙江省博物館。

183. 一葦渡江圖

立軸

紙本水墨設色

124×52cm

1931 年－1932 年

款題：

齊璜。

此幅畫在予七十歲後。辛未壬申之間。今日重看。予年九十矣。喜題幾字。白石。

印章：

齊大（朱文）　白石題跋（白文）

收藏：

上海市文物商店

184. 鐘馗搔背圖

立軸

紙本水墨設色

131×58.7cm

約 30 年代初期

款題：

鐘馗搔背圖。

鐘馗故事甚多。皆前人擬作。未有畫及搔背者。余遂造其稿。見此像想見鐘馗之威赫矣。齊璜并記。

印章：

木人（朱文）

收藏：

天津人民美術出版社

185. 游蝦剪刀草

立軸

紙本水墨

88.5×46.2cm

1932 年

款題：

茀民先生之雅。壬申春。齊璜。

印章：

老木（朱文）

收藏：

南京博物院

186. 群蟹圖

立軸

紙本水墨

120×30cm

1932 年

款題：

壬申夏五月中。齊璜。

余之畫蟹。七十歲以後一變。此又變也。三百石印富翁并記。冬日無寒。

印章：

白石翁（白文）　老木（朱文）

收藏：

中國美術館

著録：

《齊白石作品集》第 34 圖，董玉龍主編，天津人民美術出版社，1990 年，天津。

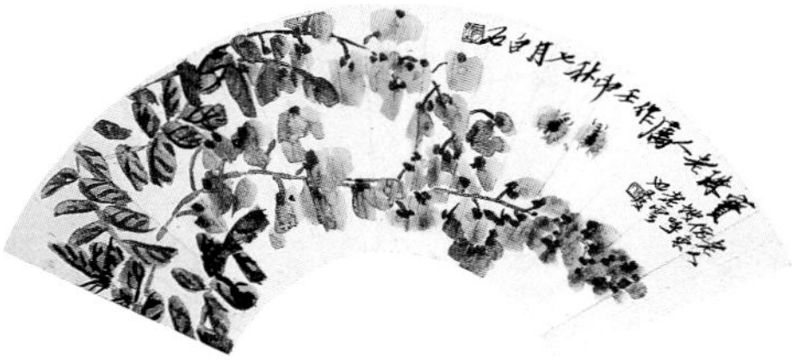

187. 紫藤雙蜂

扇面

紙本水墨設色

18×57.5cm

1932 年

款題：

寶珠老人屬作。壬申秋七月。白石

老人仿東坡呼老雲也。又及。
印章：
阿芝(朱文)　木人(朱文)
收藏：
私人
著録：
《齊白石繪畫精品集》第28頁，人民美術出版社，1991年，北京。

188. 松鼠
立軸
紙本水墨
136×33cm
1932年
款題：
壬申秋。借山老人白石。
印章：
木人(朱文)
大匠之門(白文)
收藏：
遼寧省博物館
著録：
《齊白石畫集》第30圖，遼寧省博物館編，遼寧美術出版社，1961年，瀋陽。

189. 扁豆
立軸
紙本水墨設色
81×35cm
1932年
款題：
雲棟先生來函索畫。时值心氣稍平。故欣然畫贈之。吾年來衰老多病。點墨如金。往後如再有雅命。恐難於報答也。壬申秋八月。齊璜。
印章：
木人(朱文)
吾画遍行天下蒙人偽造居多(朱文)
收藏印：湖南省博物館收藏(朱文)
收藏：
湖南省博物館

190. 柳溪垂釣圖
立軸
紙本水墨設色
141×45cm
1932年
款題：
梅清夫人屬。七十老人齊璜。

印章：
老齊郎(朱文)
白石翁(白文)
收藏：
私人

191. 群蝦圖
立軸
紙本水墨
160×35cm
1932年
款題：
静文先生雅屬。壬申。借山老人齊璜製。
印章：
白石翁(白文)
收藏印：湖南省中山圖書館珍藏(朱文)
收藏：
湖南省圖書館

192. 杏花青蛾(花卉草蟲册頁之一)
册頁
紙本水墨設色
22.5×34cm
1932年
款題：
七十老人齊璜。
印章：
木人(朱文)
收藏：
上海朵雲軒

193. 梨花蚱蜢(花卉草蟲册頁之二)
册頁
紙本水墨設色
22.5×34cm
1932年
款題：
白石

印章：
白石翁(白文)
收藏：
上海朵雲軒

194. 雁來紅蝴蝶(花卉草蟲册頁之三)
册頁
紙本水墨設色
22.5×34cm
1932年
款題：
老萍
印章：
木人(朱文)
收藏：
上海朵雲軒

195. 蘭花甲蟲(花卉草蟲册頁之四)
册頁
紙本水墨設色
22.5×34cm
1932年
款題：
白石
印章：
齊大(朱文)
收藏：
上海朵雲軒

196. 稻葉蝗蟲（花卉草蟲册頁之五）
　　册頁
　　紙本水墨設色
　　22.5×34cm
　　1932年
款題：
　　白石老人。
印章：
　　白石翁（白文）
收藏：
　　上海朵雲軒

197. 桃花灰蛾（花卉草蟲册頁之六）
　　册頁
　　紙本水墨設色
　　22.5×34cm
　　1932年
款題：
　　萍翁
印章：
　　齊大（朱文）　老木（朱文）
收藏：
　　上海朵雲軒

198. 豆莢蟋蟀（花卉草蟲册頁之七）
　　册頁
　　紙本水墨設色
　　22.5×34cm
　　1932年
款題：
　　借山主者。
印章：
　　老齊（朱文）　甑屋（朱文）
收藏：
　　上海朵雲軒

199. 十字花螻蛄（花卉草蟲册頁之八）
　　册頁
　　紙本水墨設色
　　22.5×34cm
　　1932年
款題：
　　白石翁。
印章：
　　木居士（白文）
收藏：
　　上海朵雲軒

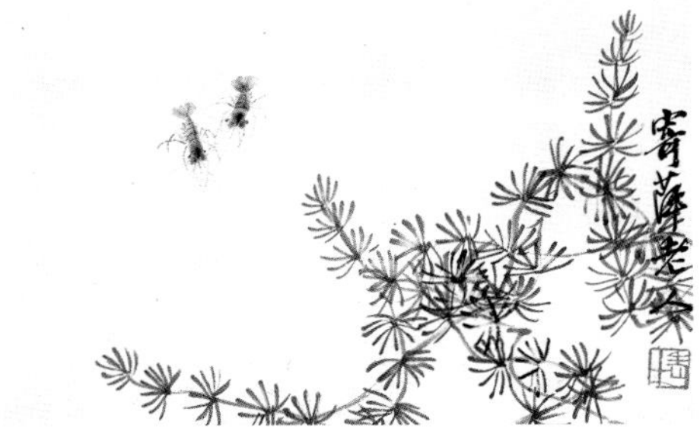

200. 水草雙蝦（花卉草蟲册頁之九）
　　册頁
　　紙本水墨設色
　　22.5×34cm
　　1932年
款題：
　　寄萍老人。
印章：
　　老木（朱文）
收藏：
　　上海朵雲軒

201. 稻穗螳螂（花卉草蟲册頁之十）
　　册頁
　　紙本水墨設色
　　22.5×34cm
　　1932年

款題：
　　八硯樓頭主者。
印章：
　　白石翁（白文）
收藏：
　　上海朵雲軒

202. 樹葉黃蜂（花卉草蟲册頁之十一）
　　册頁
　　紙本水墨設色
　　22.5×34cm
　　1932年
款題：
　　三百石印富翁。
印章：
　　老木（朱文）
收藏：
　　上海朵雲軒

203. 青草蝗蟲（花卉草蟲册頁之十二）
　　册頁
　　紙本水墨設色
　　22.5×34cm
　　1932年
款題：
　　白石
印章：

老白(白文)
老夫也在皮毛類(白文)

收藏:

上海朵雲軒

204. 海棠蜻蜓

立軸
紙本水墨設色
68×33cm
1932年

款題:

小瀾先生雅屬。壬申冬。齊璜。

印章:

老木(朱文)

收藏:

私人

著録:

《齊白石畫集》第28圖,嚴欣强、金岩編,外文出版社,1990年,北京。

205. 海棠

立軸
紙本水墨設色
129.8×33.6cm
1932年

款題:

啟明夫人清屬。七十老人齊璜。

印章:

木人(朱文)

收藏:

中國美術館

著録:

《齊白石繪畫精品選》第24頁,董玉龍主編,人民美術出版社,1991年,北京。

206. 海棠麻雀

立軸
紙本水墨設色
136×34.5cm
1932年

款題:

蔚如先生清屬。壬申冬。齊璜。

印章:

老木(朱文)

收藏:

天津人民美術出版社

207. 雙壽

立軸
紙本水墨

130.5×32cm
1932年

款題:

白石山翁。
雙壽(篆)。
此幅乃予七十歲時之作。九十以後重見記之。白石老人。

印章:

苹翁(朱文) 木人(朱文)
甑屋(朱文)

收藏:

北京市文物公司

208. 鴨子芙蓉

立軸
紙本水墨設色
136×33cm
約1932年

款題:

百戰諸君且止戈。請看水面芙蓉影。寄萍堂上老人并句。

此幅為外人所畫。趙君見之其意甚喜。吾即贈之。趙君善醫術。吾家人善病。年來得識趙君。家中無呻吟之聲。或兒輩大病。聞趙君至。即欲下床。可謂百鬼避聲名。余感之非淺。持贈此幅因及之。并請世瓚仁兄論定。齊璜同客京師。

此幅言趙君。此君不知何處去。予又題數十字。吾兒輩感趙君之深。因深藏之。又求予題記并題予畫。癸已(巳)。予年九十三。白石。

印章:

木人(朱文) 白石翁(白文)
木人(朱文) 白石老人(白文)

收藏:

北京市文物公司

著録:

《齊白石繪畫精萃》第50圖,秦公、少楷主編,吉林美術出版社,1994年,長春。

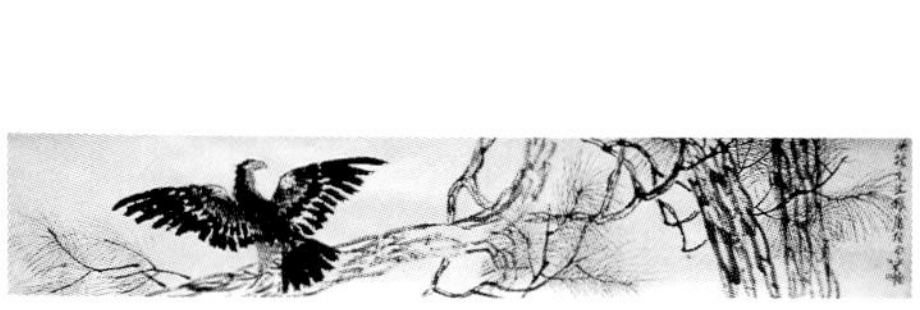

209. 松鷹圖

横幅
紙本水墨
66×364cm
1933年

款題:

煥然先生雅屬。癸酉。齊璜。

印章:

齊白石(白文) 甑屋(朱文)

收藏:

私人

著録:

《中國嘉德'94春季拍賣會·中國書畫》圖録第60號,1994年,北京。

210. 竪石山鷄

立軸
紙本水墨設色
102.5×34cm
1933年

款題:

濟國先生清正。癸酉冬。齊璜。

印章:

老木(朱文)
吾画遍行天下偽造居多(朱文)

收藏:

北京市文物公司

著録:

《齊白石繪畫精萃》第59圖,秦公、少楷主編,吉林美術出版社,1994年,長春。

211. 菊花

扇面
紙本水墨設色
19×52cm
1933年

款題:

菊花有識應須記。畫自中華國恥(耻)时。濟國先生法論。癸酉。齊璜。

印章:

老白(白文)

收藏:

天津人民美術出版社

212. 菊花蟋蟀

立軸
紙本水墨設色
98×33cm
約1933年

款題:

癸酉冬姬人病作。延名醫四五人。愈醫治其病愈危。余以為無法可救矣。

門人楊我之介紹鳳蓀老人舉二方。吞藥水二鐘。得效。漸漸今已愈矣。贈此并記之。齊璜。

印章:

老木(朱文)

收藏:

上海朵雲軒

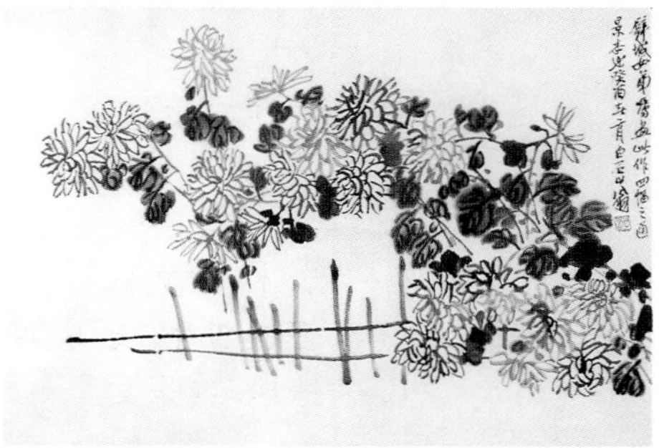

213. 菊花

鏡片

紙本水墨

43×59cm

1933 年

款題:

壁城女弟囑畫。此作四幅之通景本也。癸酉春二月。白石山翁。

印章:

白石翁(白文)

收藏:

李立

214. 蓮池書院圖

立軸

紙本水墨設色

65.2×48cm

1933 年

款題:

蓮池書院圖。

吾曾游(遊)保陽。至蓮花池觀蓮花。池上有院宇。聞為摯甫老先生曾掌教大開北方文氣之書院也。去年秋北江先生贈吾以文。吾故畫此圖報之。以補摯甫老先生當時未有也。癸酉春二月。時居舊京。齊璜并記。

印章:

老白(白文)

收藏:

楊永德

著録:

《齊白石詩文篆刻集》附圖,陳凡輯,香港上海書局。

《榮寶齋畫譜》第 73 期,北京榮寶齋出版,1993 年,北京。

《中國嘉德'95 秋季拍賣會·中國書畫》第 268 號,1995 年,北京。

注釋:

"蓮池"亦稱"蓮花池",在河北保定市(即白石所稱之"保陽")。清末改學堂以前曾在此設"蓮池書院"。齊白石到蓮池遊觀,是 1920 至 1924 年間的事。那時,白石好友夏壽田(午詒)在保定直魯豫巡閱使曹錕府中任職,白石常被邀去作客。跋文中所説之吴摯甫(1840 年—1903 年),名汝綸,安徽桐城人,同治進士,"曾門四弟子"之一,歷任冀州知州、天津知府、京師大學堂總教習,他主持蓮池書院,應在出任京師大學堂總教習之前。吴摯甫文宗桐城派,政治上支持洋務運動,有《桐城吴先生全書》。白石跋中所説"大開北方文氣",概指此。吴摯甫之子吴北江,為齊白石的同代人,善詩文。1932 年,張次溪為編《白石詩草》一書,請一時名彦和白石好友題句,吴北江題詩曰:"故都萬人海,齊叟足聲名。光怪新書畫,沉酣古性情。黄花霜信緊,白發夢魂驚。想象耽奇句,天花照眼明。絶似冬心筆,樊山品鷺真。高吟動寥闊,情話寫酸辛。身世一盃酒,年華雙轉輪。詩人能老壽,慎勿厭勞塵。"(《齊白石作品集·第三集·詩》,人民美術出版社,1963 年,北京)白石跋中説"北江先生贈吾以文",即指此。《白石老人自傳》也特别提及此事,自認為《蓮池書院圖》"是别出心裁,經意之作。"

215. 葛園耕隱圖

立軸

紙本水墨設色

67×38cm

1933 年

款題:

葛園耕隱圖(篆)。

黄犢無欄繫外頭。許由与汝是同儔。我思仍舊扶犁去。那(哪)得餘年健是牛。次篁先生仁世兄雅屬。癸酉秋八月。齊璜并題。

耕野帝王象萬古。出師丞相表千秋。須知洗耳江濱水。不肯牽牛飲下流。畫圖題後。是夜枕上又得此絶句。白石。

印章:

齊大(朱文)　木人(朱文)

雕蟲小技家聲(朱文)

收藏:

廣東省博物館

著録:

《榮寶齋畫譜》第 73 期,齊白石繪山水部分,第 35 頁,北京榮寶齋出版,1993 年,北京。

《齊白石作品選集》,黎錦熙、齊良已編,人民美術出版社,1959 年,北京。

注釋:

此圖是送給張次溪之弟張次篁的。次篁又名仲葛,1931 年,曾陪齊白石在張園(張次溪家花園,乃明代著名將領袁崇焕故居)休息遊玩,因相熟識。參見張次溪《齊白石的一生》。

216. 焚香圖

立軸

紙本水墨設色

96.4×47.5cm

1933 年

款題:

癸酉。齊璜。

印章:

白石翁(白文)

收藏:

中國美術館

著録:

《齊白石作品集》第 208 頁,董玉龍主編,天津人民美術出版社,1990 年,天津。

217. 穀穗螞蚱(花鳥草蟲册頁之一)

册頁

紙本水墨設色

45×34.5cm

約 30 年代初期

款題:

星塘老屋後人白石客京華。

印章:

齊白石(白文)

收藏:

徐悲鴻紀念館

218. 豆莢天牛(花鳥草蟲册頁之二)

册頁

紙本水墨設色

45×34.5cm

約 30 年代初期

款題:

湘潭白石翁畫。

印章:

齊大(朱文)

三百石印富翁(朱文)

收藏:

徐悲鴻紀念館

219. 油燈黃蛾(花鳥草蟲册頁之三)

册頁

紙本水墨設色

45×34.5cm

約 30 年代初期

款題:

借古人句作畫。白石老人。

印章:

老白(白文)

要知天道酬勤(朱文)

收藏:

徐悲鴻紀念館

220. 蘿蔔蟋蟀(花鳥草蟲册頁之四)

册頁

紙本水墨設色

45×34.5cm

約 30 年代初期

款題:

借山齊白石著色。

印章:

木人(朱文)

雕蟲小技家聲(朱文)

收藏:

徐悲鴻紀念館

221. 紫藤飛蛾(花鳥草蟲册頁之五)

册頁

紙本水墨設色

45×34.5cm

約 30 年代初期

款題:

家山借山館後四圍藤蘿如山。白石。

印章:

白石老人(白文)

寂寞之道(白文)

收藏:

徐悲鴻紀念館

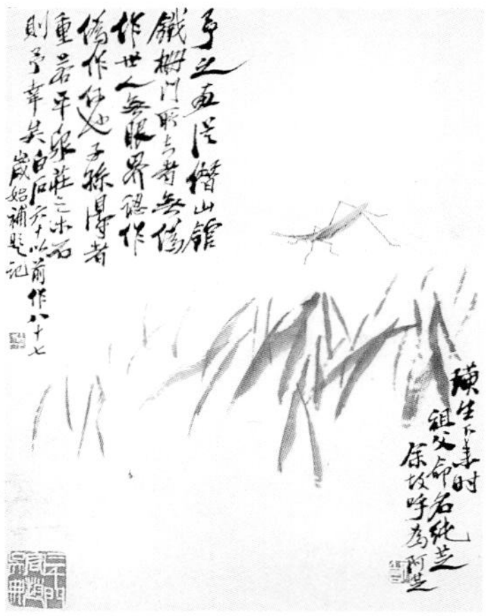

222. 青草螳螂(花鳥草蟲册頁之六)

册頁

紙本水墨設色

45×34.5cm

約 30 年代初期

款題:

予之畫。從借山館鐵栅門所去者無僞作。世人無眼界。認作僞作。何也。子孫得者。重若平泉莊之木石。則予幸矣。白石六十以前作。八十七歲始補題記。

璜生下來时祖父命名純芝。余故呼為阿芝。

印章:

白石老人(白文)　齊白石(白文)

三千門客趙吴無(白文)

收藏:

徐悲鴻紀念館

注釋:

齊白石在題跋中説此册作於“六十歲前”,似不確。其 60 歲為 1922 年,正是“衰年變法”前期,他的花鳥畫尚未形成如此册中的成熟的寫意風格。可參見本書第二卷及該卷《齊白石的衰年變法》一文。從風格和筆墨看,此册應作於 20 年代晚期至 30 年代初期，老人晚年記錯自己作品的年代是常有的事。故將此册估斷於此。

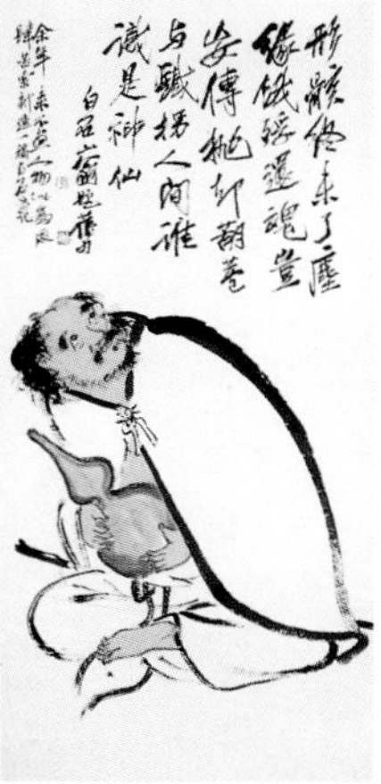

223. 李鐵拐

立軸

紙本水墨設色

103×46.8cm

約 30 年代初期

款題：

形骸終未了塵緣。餓殍還魂豈妄傳。抛却葫蘆與鐵拐。人間誰識是神仙。

白石山翁題舊句。余年來不畫人物。此為廠肆苦索。新造一稿。白石又記。

印章：

木人(朱文)

白石翁(白文)

阿芝(朱文)

收藏：

中國展覽交流中心

著録：

《齊白石繪畫精萃》第 31 圖，秦公、少楷主編，吉林美術出版社，1994年，長春。

224. 人物

立軸

紙本水墨設色

129×54cm

約 30 年代初期

款題：

寬衫大袖下庭階。習習微風三徑開。笑倒此翁生長命。人間清福到蒿萊。

鳴鶴先生正。齊璜并題。

印章：

白石(朱文)

吾画遍行天下偽造居多(朱文)

收藏：

天津藝術博物館

225. 送子從師圖

立軸

紙本水墨設色

132×34cm

約 30 年代初期

款題：

處處有孩兒。朝朝正要时。此翁真不是。獨送汝從師。識字未為非。娘邊去復歸。莫教兩行涙(泪)。滴破汝紅衣。白石山翁造稿并題。

印章：

木居士(白文)

齊大(朱文)

收藏：

北京市文物公司

著録：

《齊白石繪畫精萃》第 47 圖，秦公、少楷主編，吉林美術出版社，1994 年，長春。

226. 玩硯圖

鏡片

紙本水墨設色

50×33cm

約 30 年代初期

款題：

白石鈎自造稿。时居故都。

收藏：

私人

著録：

《齊白石畫集》第 25 圖，嚴欣强、金岩編，外文出版社，1990 年，北京。

227. 五柳先生像

立軸

紙本水墨設色

100×35cm

約 30 年代初期

款題：

籬下南山。借山吟館主者擬五柳先生像。

印章：

木人(朱文)

收藏：

私人

著録：

《齊白石繪畫精品集》第 45 頁，人民美術出版社，1991 年，北京。

228. 田家風度

立軸

紙本水墨設色

67.5×33.5cm

約 30 年代初期

款題：

畫抱兒婦。難得田家風度。美人風度人之心意中應有。反尋常也。白石并記。

印章：

老木(朱文)

收藏：

北京市文物公司

著録：

《齊白石繪畫精萃》第 99 圖，秦公、少楷主編，吉林美術出版社，1994 年，長春。

229. 芙蓉

鏡片

紙本水墨設色

31.9×17.5cm

約 30 年代初期

款題：

伯如兄存。白石。

印章：

齊大(白文)

夢想芙蓉路八千(朱文)

收藏：

南漢臣原藏，現藏炎黃藝術館藝術中心。

230. 梅花

册頁

紙本水墨設色

40.4×22cm

約 30 年代初期

款題：

伯如先生存。三百石印富翁白石。

印章：

齊大(白文)

容顔減盡但餘愁(朱文)

收藏：

南漢臣原藏，現藏炎黃藝術館藝術中心。

231. 鵪鶉

册頁

紙本水墨

47.6×30.4cm

約 30 年代初期

款題：

竗(妙)如女弟存。白石。

印章：

白石翁(白文)

雕蟲小技家聲(朱文)

收藏：

南漢臣原藏，現藏炎黃藝術館藝術中心。

232. 雙壽

册頁

紙本水墨設色

29.3×31.7cm

約 30 年代初期

款題：

竗(妙)如女弟存。白石。

印章：

阿芝(朱文)　人長壽(朱文)

收藏：

南漢臣原藏，現藏炎黃藝術館藝術中心。

233. 柳牛

册頁

紙本水墨

33.7×29.7cm

約 30 年代初期

款題：

竗(妙)如女弟存之。白石。

印章：

白石翁(白文)　老木(朱文)

寄萍堂(白文)

收藏：

南漢臣原藏，現藏炎黃藝術館藝術中心。

234. 荔枝

册頁

紙本水墨設色

33.5×29.3cm

約 30 年代初期

款題：

伯如先生存。白石。

印章：

白石翁(白文)　齊大(朱文)

收藏：

南漢臣原藏，現藏炎黃藝術館藝術中心。

235. 青蛙

册頁

紙本水墨設色

34×29.5cm

約 30 年代初期

款題：

伯如先生存之。白石。

印章：

齊大(白文)　老木(朱文)

歸夢看池魚(朱文)

收藏：

南漢臣原藏，現藏炎黃藝術館藝術中心。

236. 佛手

册頁

紙本水墨設色

33.6×29.9cm
約 30 年代初期

款題：

伯如兄存。三百石印富翁。

印章：

齊大(朱文)

收藏：

南漢臣原藏，現藏炎黃藝術館藝術中心。

237. 紅葉山居

立軸
紙本水墨設色
70×64cm
約 30 年代初期

款題：

紹林仁兄正雅。弟齊璜。

印章：

齊大(白文)　老齊郎(朱文)

收藏：

私人

238. 蝴蝶花

立軸
紙本水墨設色
132.2×33.4cm
約 30 年代初期

款題：

一雙蝴蝶蘧蘧至。猶恐相逢是夢中。知我平生非酷吏。故人相贈只清風。

樊樊山老人謝余贈畫蝴蝶扇詩二首之一。借題此幅。三百石印富翁齊璜。

印章：

白石(朱文)

收藏：

中國美術館

著録：

《齊白石繪畫精品選》第 38 頁，董玉龍主編，人民美術出版社，1991 年，北京。

239. 花果(册頁之一)

册頁
紙本水墨設色
29×18cm
約 30 年代初期

款題：

白石

印章：

齊大(朱文)
收藏印：祖光藏画(朱文)

收藏：

吴祖光　新鳳霞

240. 花果(册頁之二)

册頁
紙本水墨設色
29×18cm
約 30 年代初期

款題：

拈香手。白石。

印章：

老苹(朱文)
收藏印：祖光藏画(朱文)

收藏：

吴祖光　新鳳霞

241. 花果(册頁之三)

册頁
紙本水墨設色
29×18cm
約 30 年代初期

款題：

借山館人。

印章：

齊大(朱文)
收藏印：祖光藏画(朱文)

收藏：

吴祖光　新鳳霞

242. 花果(册頁之四)

册頁
紙本水墨設色
29×18cm
約 30 年代初期

款題：

别有天地非人間。三百石印富翁。

印章：

齊大(朱文)
收藏印:祖光藏画(朱文)
收藏:
吴祖光　新鳳霞

243. 花果(册頁之五)
册頁
紙本水墨設色
29×18cm
約 30 年代初期
款題:
通身有刺。腹内甘芳。白石。
印章:
木人(朱文)
收藏印:祖光藏画(朱文)
收藏:
吴祖光　新鳳霞

244. 花果(册頁之六)
册頁
紙本水墨設色
29×18cm
約 30 年代初期
款題:
寄老
印章:
齊大(朱文)
收藏印:祖光藏画(朱文)
收藏:
吴祖光　新鳳霞

245. 花果(册頁之七)
册頁
紙本水墨設色
29×18cm
約 30 年代初期
款題:
老萍
印章:
老齊(朱文)
收藏印:祖光藏画(朱文)
收藏:
吴祖光　新鳳霞

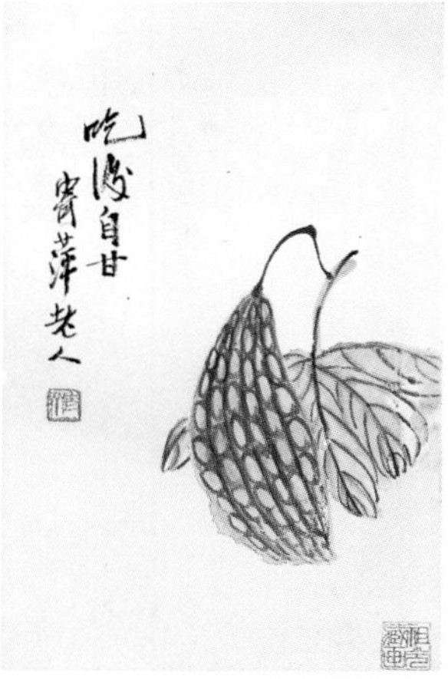

246. 花果(册頁之八)
册頁
紙本水墨設色
29×18cm
約 30 年代初期
款題:
吃後自甘。
寄萍老人。
印章:
老齊(朱文)
收藏印:祖光藏画(朱文)
收藏:
吴祖光　新鳳霞

247. 群芳争艷
横軸
紙本水墨設色
88×172cm

約 30 年代初期
款題:
啟明夫人清屬。齊璜。
印章:
白石翁(白文)　老木(朱文)
收藏:
炎黄藝術館藝術中心

248. 公鷄石榴
立軸
紙本水墨設色
159×43cm
約 30 年代初期
款題:
家書不説故園情。聊道牆頭草未生。十五年前清福厚。石榴樹下有鷄聲。齊璜并題句。
印章:
白石翁(白文)
收藏:
中央工藝美術學院

249. 枇杷
立軸
紙本水墨設色
132×32.1cm
約 30 年代初期
款題:
三百石印富翁。
印章:
木居士(白文)
收藏:
中國美術館
著録:
《齊白石畫集》第 35 圖，嚴欣强、金岩編，外文出版社，1990 年，北京。

250. 雙壽圖
立軸
紙本水墨
182×48cm
約 30 年代初期
款題:
齊璜畫于京華西城之西。雙壽(篆)。杏子隖老民又篆二字。

印章：

木居士(白文)
白石翁(白文)
白石翁(白文)

收藏：

北京畫院

251. 雛鷄

立軸
紙本水墨
70×35cm
約 30 年代初期

款題：

聲聞世姪之屬。齊璜贈于舊京。

印章：

老木(朱文)

收藏：

四川美術學院

252. 上學圖

立軸
紙本水墨設色
104.8×22.5cm
約 30 年代初期

款題：

上學圖(篆)。
鴻彰二公子隨爺娘將出燕還蜀。贈此為别。白石。

印章：

老木(朱文)

收藏：

四川省博物館

253. 芋葉青蛙

立軸
紙本水墨

97×32cm
約 30 年代初期

款題：

三百石印富翁齊璜。

印章：

白石翁(白文)

收藏：

中國美術館

著録：

《齊白石作品集》第 60 圖，董玉龍主編，天津人民美術出版社，1991 年，天津。

254. 芋葉螃蟹

立軸
紙本水墨
135.8×34.2cm
約 30 年代初期

款題：

寄萍堂上老人畫于舊京西城更西。
燧初先生之雅。齊璜白石山翁。

印章：

借山吟館（白文）
木人(朱文)　白石翁(白文)

收藏：

中國美術館

255. 架豆蜻蜓

立軸
紙本水墨設色
135.5×32.5cm
約 30 年代初期

款題：

非厂(庵)仁弟。白石璜。
俊魁先生藏予畫甚多。此幅由當鋪發賣買來。不嫌他人有號。真嗜痂也。已卯冬白石題記。

印章：

白石翁(白文)　阿芝(朱文)
尋思百計不如閒(閑)(朱文)

收藏：

北京市文物公司

著録：

《齊白石繪畫精萃》第 91 圖，秦公、少楷主編，吉林美術出版社，1994 年，長春。

256. 芋頭蘿蔔

立軸
紙本水墨設色
74×33cm
約 30 年代初期

款題：

蘿蔔生兒。芋魁有子。一飽衰年猶賴此。費宏有謝姜寬送芋子詩。余故云芋有子。杏子隖老民并題。

印章：

白石翁(白文)
收藏印：雨人所藏書畫印(朱文)

收藏：

北京市文物公司

著録：

《齊白石繪畫精萃》第 52 圖，秦公、少楷主編，吉林美術出版社，1994 年，長春。

257. 南瓜麻雀（蔬果花鳥草蟲册頁之一）

册頁
紙本水墨設色
27×33.5cm
約 30 年代初期

款題：

白石

印章：

木居士(白文)
吾画遍行天下蒙人偽造居多(朱文)

收藏：

北京榮寶齋

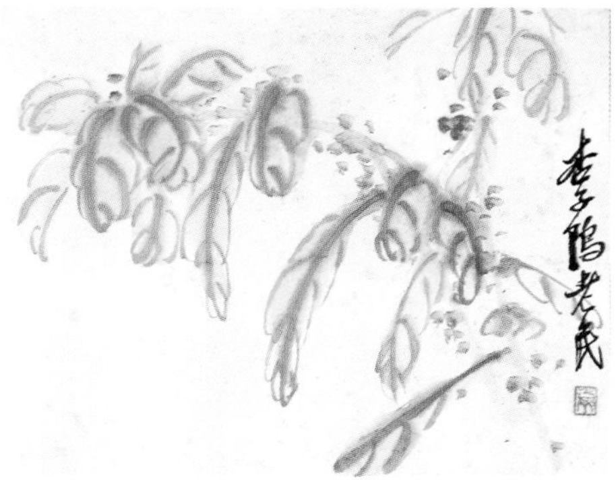

258. 雁來紅(蔬果花鳥草蟲册頁之二)
册頁
紙本水墨設色
27×33.5cm
約 30 年代初期
款題:
杏子隖老民。
印章:
老齊(朱文)
收藏:
北京榮寶齋

259. 山茶花(蔬果花鳥草蟲册頁之三)
册頁
紙本水墨設色
27×33.5cm
約 30 年代初期
款題:
齊大
印章:
借山館記(白文)
收藏:
北京榮寶齋

260. 荷花蜻蜓(蔬果花鳥草蟲册頁之四)
册頁
紙本水墨設色
27×33.5cm
約 30 年代初期
款題:
白石
印章:
齊大(朱文)
收藏:
北京榮寶齋

261. 菊花(蔬果花鳥草蟲册頁之五)
册頁
紙本水墨設色
27×33.5cm
約 30 年代初期
款題:
瀕生
印章:
阿芝(白文,倒鈐)
收藏:
北京榮寶齋

262. 海棠花(蔬果花鳥草蟲册頁之六)
册頁
紙本水墨設色
27×33.5cm
約 30 年代初期
款題:
寄萍老人作。
印章:
阿芝(朱文)
收藏:
北京榮寶齋

263. 玉蘭八哥(蔬果花鳥草蟲册頁之七)
册頁
紙本水墨設色
27×33.5cm
約 30 年代初期
款題:
三百石印富翁。
印章:
白石翁(白文)
收藏:
北京榮寶齋

264. 梅花(蔬果花鳥草蟲册頁之八)
册頁
紙本水墨設色
27×33.5cm
約 30 年代初期
款題:
阿芝
印章:
老齊(朱文)
收藏:
北京榮寶齋

265. 紫藤蜜蜂(蔬果花鳥草蟲册之九)
册頁
紙本水墨設色
27×33.5cm
約 30 年代初期
款題:
老萍
印章:
白石山翁(白文)
收藏:
北京榮寶齋

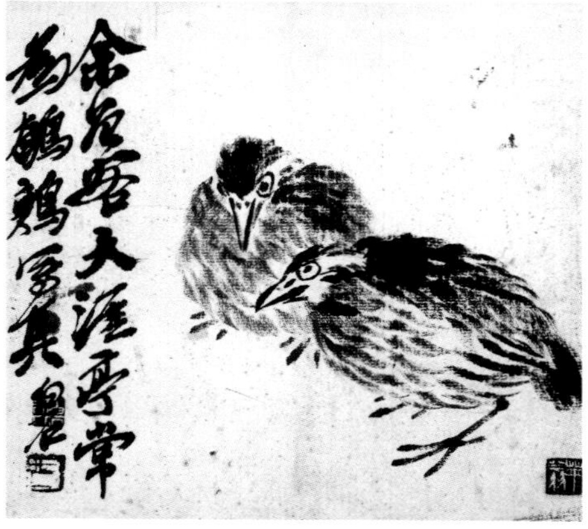

266. 鵪鶉

冊頁

紙本水墨

23×24cm

約 30 年代初期

款題：

余曾客天涯亭。常為鵪鶉寫真。白石。

印章：

白石老人(白文)　苹翁(白文)

木人(朱文,倒鈐)

收藏：

私人

著録：

《齊白石繪畫精品集》第 24 頁，人民美術出版社，1991 年，北京。

267. 荷花

立軸

紙本水墨設色

92×49cm

約 30 年代初期

款題：

齊璜

印章：

老木(朱文)

收藏：

北京市文物公司

著録：

《齊白石繪畫精萃》第 35 圖，秦公、少楷主編，吉林美術出版社，1994 年，長春。

268. 柿子

立軸

紙本水墨設色

130×33cm

約 30 年代初期

款題：

借山吟館主者新得朱砂試色。

印章：

木居士(白文)

木人(朱文)

收藏：

私人

著録：

《齊白石繪畫精品集》第 26 頁，人民美術出版社，1991 年，北京。

269. 白菜草菇

冊頁

紙本水墨

82.5×53cm

約 30 年代初期

款題：

製大幅後檢(撿)佳皮紙畫此。猶見餘興。

寄萍堂上老人并記。

印章：

白石翁(白文)

收藏：

私人

著録：

《齊白石繪畫精品集》第 32 圖，人民美術出版社，1991 年，北京。

270. 紫藤蜜蜂

立軸

紙本水墨設色

97×47cm

約 30 年代初期

款題：

蜂兒也識春晴好。时向藤花得意飛。齊璜。

印章：

白石翁(白文)

收藏：

中央美術學院附屬中學

271. 芙蓉小魚

立軸

紙本水墨設色

135×34cm

約 30 年代初期

款題：

芙蓉葉大花钃(粗)。先後著葩。開能耐久。且与菊花同时。亦能傲霜。余最愛之。白石山翁并記。

印章：

老白(白文)

收藏印：湖南省博物館藏品章(朱文)

收藏：

湖南省博物館

著録：

《齊白石繪畫選集》第 18 圖，湖南省博物館編，湖南美術出版社，1980 年，長沙。

272. 松鷹

立軸

紙本水墨

135.7×34cm

約 30 年代初期

款題：

齊璜

印章：

齊大(朱文)

收藏：

天津人民美術出版社

273. 荷花蜻蜓

冊頁

紙本水墨設色

34.5×23.5cm

約 30 年代初期

款題：

三百石印富翁白石。奉天有事之

年畫。

印章：

老白(白文)

收藏：

北京榮寶齋

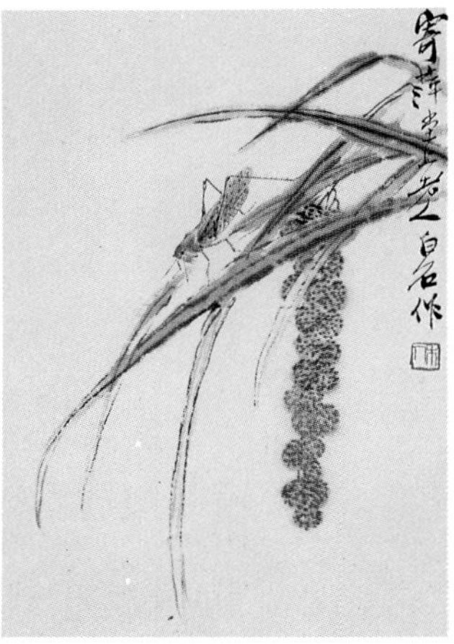

274. 穀穗蚱蜢

册頁

紙本水墨設色

34.5×23.5cm

約 30 年代初期

款題：

寄萍堂上老人白石作。

印章：

木人(朱文)

收藏：

北京榮寶齋

275. 梅花鸜鵒

斗方

紙本水墨設色

33×29cm

約 30 年代初期

款題：

寶姬彊(强)余鐙下戲作。白石老翁。

印章：

白石翁(白文)

收藏：

陝西美術家協會

276. 牽牛蜜蜂

横幅

紙本水墨設色

17.1×52cm

約 30 年代初期

款題：

白石山翁

印章：

老白(白文)

收藏：

王方宇

著録：

《看齊白石畫》第 26 圖，王方宇、許芥昱合著，藝術圖書公司，1979 年，臺北。

277. 雛鷄幼鴨

立軸

紙本水墨

67.5×34cm

約 30 年代初期

款題：

濟國先生嗜書畫。即藏余畫。此幅已過十幅矣。人生一技故不易。知者尤難得也。余感而記之。齊璜。

印章：

白石翁(白文)

吾画遍行天下偽造居多(朱文)

收藏：

北京市文物公司

著録：

《齊白石畫集》第 62 圖，嚴欣强、金岩編，外文出版社，1990 年，北京。

《齊白石繪畫精萃》第 44 圖，秦公、少楷主編，吉林美術出版社，1994 年，長春。

《楊永德藏齊白石書畫》，中國嘉德'95 秋季拍賣會圖録第 186 號，1995 年，北京。

278. 芭蕉

立軸

紙本水墨

133.3×32.7cm

約 30 年代初期

款題：

頃刻青蕉生庭隖。天無此功筆能補。昔人作得五里霧。老夫能作千年雨。今歲畫蕉約四三十幅。此幅算有春雨不歇之意。寄萍堂上老人并題。

印章：

木人(朱文)　白石翁(白文)

收藏：

天津人民美術出版社

279. 竹簍荔枝

立軸

紙本水墨設色

119×30cm

約 30 年代初期

款題：

白石山翁。

予七十歲後閉門謝客。今華青先生過談第三次矣。欲得予畫。檢(撿)此贈之。时癸酉秋八月將游(遊)巴蜀。齊璜白石記於燕。

印章：

老木(朱文)　白石翁(白文)

收藏：

私人

著録：

《齊白石繪畫精品集》第 34 頁，人民美術出版社，1991 年，北京。

280. 栗子荸薺

立軸

紙本水墨

94×44cm

約 30 年代初期

款題：

通身有荆棘。

滿腹是甘芳。

不怕刺儂指。

太息隔鄰牆。三百石印富翁畫并題句。

印章：

白石翁(白文)

一切画會無能加入(白文)

收藏：

北京榮寶齋

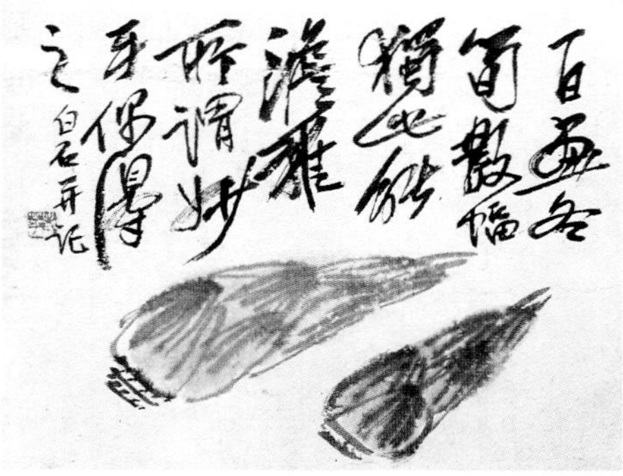

281. 笋

冊頁

紙本水墨

21×26cm

約 30 年代初期

款題：

一日畫冬筍(笋)數幅。獨此能澹(淡)雅。所謂妙手偶得之。白石并記。

印章：

老苹(朱文)

收藏：

齊良遲

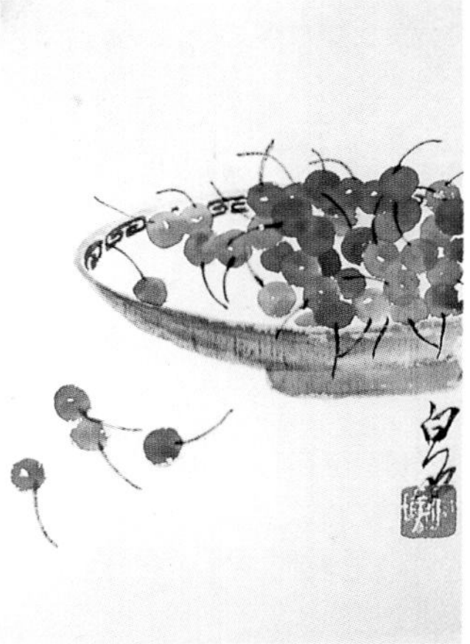

282. 櫻桃(花鳥草蟲冊頁之一)

冊頁

絹本水墨設色

23×17cm

約 30 年代初期

款題：

白石

印章：

齊璜(白文)

收藏：

私人

283. 桑葉(花鳥草蟲冊頁之二)

冊頁

絹本水墨設色

23×17cm

約 30 年代初期

款題：

瀕生

印章：

齊大(白文)

收藏：

私人

284. 藤蘿(花鳥草蟲冊頁之三)

冊頁

絹本水墨設色

23×17cm

約 30 年代初期

款題：

璜

印章：

齊璜(白文)

收藏：

私人

285. 荷塘(花鳥草蟲冊頁之四)

冊頁

絹本水墨設色

23×17cm

約 30 年代初期

款題：

白石

印章：

齊大(白文,倒鈐)

老齊郎(朱文)

收藏：

私人

286. 柳牛(花鳥草蟲冊頁之五)

冊頁

絹本水墨設色

23×17cm

約 30 年代初期

款題：

八硯樓頭久別人製。

印章：

白石翁(白文)　甑屋(朱文)

收藏：

私人

287. 柳樹風帆(花鳥草蟲冊頁之六)

冊頁

絹本水墨設色

23×17cm

約 30 年代初期

款題：

白石

印章：

齊大(白文)

收藏：

私人

288. 鸕鷀(花鳥草蟲册頁之七)

册頁

絹本水墨設色

23×17cm

約 30 年代初期

款題:

瀕生

印章:

齊璜(白文)

收藏:

私人

289. 蜘蛛(花鳥草蟲册頁之八)

册頁

絹本水墨設色

23×17cm

約 30 年代初期

款題:

瀕生

印章:

老齊郎(朱文)

收藏:

私人

290. 雙魚(花鳥草蟲册頁之九)

册頁

絹本水墨設色

23×17cm

約 30 年代初期

款題:

八硯樓頭久別人。白石。

印章:

齊大(白文)

收藏:

私人

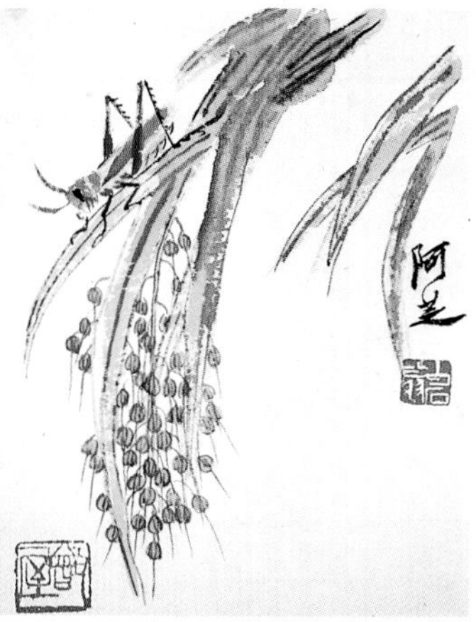

291. 稻穗蝗蟲(花鳥草蟲册頁之十)

册頁

絹本水墨設色

23×17cm

約 30 年代初期

款題:

阿芝

印章:

白石翁(白文)　甑屋(朱文)

收藏:

私人

292. 葫蘆

册頁

紙本水墨設色

36.5×26.5cm

約 30 年代初期

款題:

借山老人。

印章:

木人(朱文)

收藏:

北京榮寶齋

293. 梨花蝴蝶

册頁

紙本水墨設色

36.5×26.5cm

約 30 年代初期

款題:

梨花小院主人。

印章:

齊大(白文)

收藏:

北京榮寶齋

294. 雛鷄

立軸

紙本水墨

131×29cm

約 30 年代初期

款題:

前者若呼。後者与俱。蟲粟俱無。

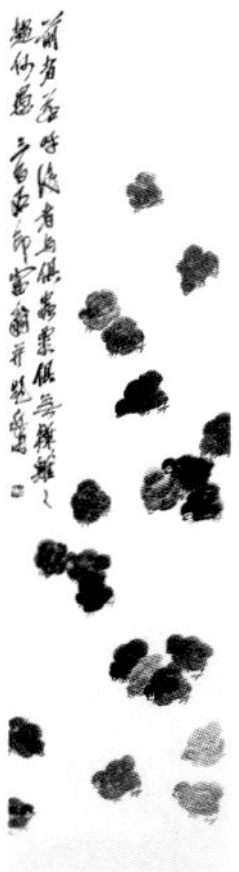

雛鷄雛鷄趣何愚。三百石印富翁并題近句。

印章：

木人(朱文)

白石翁(白文)

收藏：

霍宗傑

著録：

《齊白石畫海外藏珍》第 27 圖，王大山主編，榮寶齋(香港)有限公司，1994 年，香港。

295. 松鷹圖

立軸

紙本水墨

135×33cm

約 30 年代初期

款題：

白石山翁製于京華甑屋。

印章：

老白(白文)

木人(朱文)

收藏：

中央工藝美術學院

296. 藤蘿

立軸

紙本水墨設色

134×46cm

約 30 年代初期

款題：

齊璜。三百石印富翁寫。

梓嘉先生知賞鑒。以為此幅不醜(丑)。由廠肆得來命題記之。弟璜。

印章：

老白(白文)　木人(朱文)

收藏印：湖南省博物館藏品章(朱文)

梓園珍藏(朱文)

收藏：

湖南省博物館

297. 天竹

立軸

紙本水墨設色

89.7×47.2cm

約 30 年代初期

款題：

山家幸有炊煙(烟)起。

鄰叟尤窮粒米無。

見我牆頭天竺子。

齊家樹結珊瑚珠。

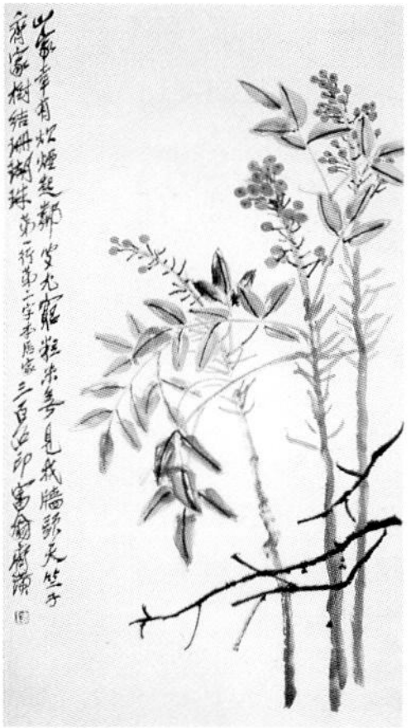

第一行第二字本居家。三百石印富翁齊璜。

印章：

木居士(白文)

收藏：

中國美術館

298. 牡丹白頭翁

立軸

紙本水墨設色

103×33cm

約 30 年代初期

款題：

豎石能壽。好花稱王。白頭作對。不羨鴛鴦。一情先生清屬。齊璜白石製于舊都城西。

印章：

老木(朱文)

收藏：

首都博物館

299. 柿樹

立軸

紙本水墨設色

132.5×32.5cm

約 30 年代初期

款題：

敲門快捷羽書馳。北海荷花正發时。國孽未蒙天早忌。吾儕有壽欲何之。書近句補空。白石。

印章：

木居士(白文)

白石翁(白文)

收藏：

北京市文物公司

著録：

《齊白石繪畫精萃》第 78 圖，秦公、少楷主編，吉林美術出版社，1994 年，長春。

300. 山石松鼠

立軸

紙本水墨設色

136.5×32cm

約 30 年代初期

款題：

白石。

五技平生一不成。登岩緣石算何能。欲無顛倒山頭樹。但願人間再太平。前人題畫句云。零亂山村顛倒樹。石成圖畫更傷心。但字本汝字。白石山翁又題新句。

印章：

老木(朱文)　齊大(朱文)

收藏：

北京市文物公司

著録：

《齊白石繪畫精萃》第 46 圖，秦公、少楷主編，吉林美術出版社，1994 年，長春。

301. 蓼花

立軸

紙本水墨設色

97×31.5cm

約 30 年代初期

款題：

人工勝天巧。頃刻秋光好。只是寒風陣陣吹。蓼花殘菊也開了。白石并題。

印章：

阿芝(朱文)

收藏：

私人

著録：

《齊白石繪畫精品集》第 30 頁，人民美術出版社，1991 年，北京。

302. 蘆蟹

立軸

紙本水墨

132×40cm

約 30 年代初期

款題：

白石老人

印章：

齊大(朱文)

收藏：

遼寧省博物館

著録：

《齊白石畫册》第 31 圖，遼寧省博物館編，遼寧美術出版社，1961 年，瀋陽。

本卷承蒙下列單位與個人的熱情支持與大力協助。特此致謝!

北京市文物公司
北京榮寶齋
中國美術館
炎黃藝術館藝術中心
天津人民美術出版社
重慶市博物館
湖南省博物館
上海朵雲軒
北京畫院
徐悲鴻紀念館
北京故宮博物院
陝西美術家協會
首都博物館
中央美術學院附屬中學
天津藝術博物館
中央工藝美術學院
浙江省博物館
遼寧省博物館
四川美術學院
中國藝術研究院美術研究所
上海市文物商店
中央美術學院
西安美術學院
天津楊柳青書畫社
南京博物院
廣東省博物館
四川省博物館
中國展覽交流中心
湖南省圖書館
上海美術家協會
香港佳士得拍賣行
楊永德先生
吴祖光　新鳳霞先生
王方宇先生
霍宗傑先生
胡　末先生
梁　穗先生
齊良遲先生
鄒佩珠先生
李　立先生
安性存先生

(按所收作品數量順序排列)

總策劃：郭天民　蕭沛蒼
總編輯：郭天民
總監製：蕭沛蒼

齊白石全集編輯委員會
主　　編：郎紹君　郭天民
編　　委：李松濤　王振德　羅隨祖　舒俊傑
郎紹君　郭天民　蕭沛蒼　李小山
徐　改　敖普安

本卷主編：郎紹君
責任編輯：李小山
圖版攝影：孫智和　邱子瑜　黎　丹
著　　録：徐　改　敖普安　李小山
黎　丹　章小林　姚陽光
注　　釋：郎紹君　徐　改
英文翻譯：張少雄
責任校對：彭　英
總體設計：戈　巴

齊白石全集　第三卷

出版發行：湖南美術出版社
(長沙市人民中路103號)
經　　銷：全國各地新華書店
印　　製：深圳華新彩印製版有限公司
一九九六年十月第一版　第一次印刷

ISBN7—5356—0889—2/J·814